ÉLOGES POUR
PARANORMAL EXTRÊME : ENQUÊTES

« Une lecture passionnante – Marcus Griffin connaît son affaire. »

Lee Prosser, chroniqueur pour Ghostvillage.com et auteur de
Midwest Hauntings

« Réunissant les modes d'observation et d'évaluation à fondements métaphysique, expérientiel et technologique, le groupe WISP présente une approche plus globale des enquêtes que la plupart des équipes de chasseurs de fantômes. En plus, leurs histoires sont fantastiques ! »

Loyd Auerbach, parapsychologue, auteur et professeur à
l'Atlantic University

PARANORMAL EXTRÊME

PARANORMAL EXTRÊME

Enquêtes

Marcus F. Griffin

Traduit de l'anglais par
Laurette Therrien

ADA
éditions

Éditeur : François Doucet
Traduction : Laurette Therrien
Révision linguistique : Daniel Picard
Correction d'épreuves : Éliane Boucher, Suzanne Turcotte
Conception de la couverture : Paulo Salgueiro
Photo de la couverture : © Thinkstock
Mise en pages : Paulo Salgueiro
ISBN papier 978-2-89667-677-4
ISBN PDF numérique 978-2-89683-626-0
ISBN ePub 978-2-89683-627-7
Première impression : 2012
Dépôt légal : 2012
Bibliothèque et Archives nationales du Québec
Bibliothèque Nationale du Canada

Éditions AdA Inc.
1385, boul. Lionel-Boulet
Varennes, Québec, Canada, J3X 1P7
Téléphone : 450-929-0296
Télécopieur : 450-929-0220
www.ada-inc.com
info@ada-inc.com

Diffusion
Canada :   Éditions AdA Inc.
France :   D.G. Diffusion
                Z.I. des Bogues
                31750 Escalquens — France
                Téléphone : 05.61.00.09.99
Suisse :   Transat — 23.42.77.40
Belgique :   D.G. Diffusion — 05.61.00.09.99

Imprimé au Canada

Participation de la SODEC.
Nous reconnaissons l'aide financière du gouvernement du Canada par l'entremise du Fonds du livre du Canada (FLC) pour nos activités d'édition.
Gouvernement du Québec — Programme de crédit d'impôt pour l'édition de livres — Gestion SODEC.

Catalogage avant publication de Bibliothèque et Archives nationales du Québec et Bibliothèque et Archives Canada

DÉDICACE

À mon fils, Logan, qui m'a prouvé que même les choses que l'on croit mortes depuis longtemps peuvent toujours être ramenées à la vie.

TABLE DES MATIÈRES

PRÉFACE

Le paranormal fascine l'humanité depuis aussi longtemps que les humains habitent notre planète. Ces mystères insondables nous poussent à chercher des réponses dans notre monde, notre univers et nos âmes. Aujourd'hui, l'exploration de l'inexplicable est à la mode. De nombreuses émissions de télévision glorifient cette quête, et des gens de tous les milieux se présentent à la table du paranormal, parce qu'ils pensent avoir vu un fantôme – ou, plus probablement, parce qu'ils veulent vivre des expériences extraordinaires et trouver des réponses. Peu importent les raisons qui les motivent, du moment qu'ils sont conviés à la table des discussions.

Lorsque j'ai commencé à correspondre avec Marcus F. Griffin en 2004, nous avons abordé de nombreux sujets magiques, mais nous avons surtout parlé de fantômes, de communication avec les esprits, et de la manière d'enquêter sur les prétendus phénomènes surnaturels. Bien que, dans l'introduction de ce livre, Griffin m'attribue la création de son groupe, c'est à lui que revient la plus grande part de responsabilité… *hum*… presque tout le crédit.

Ces derniers temps, la tendance a voulu que la recherche paranormale soit plus scientifique. Au point que certains enquêteurs croient davantage en leurs compteurs de EMF et en leurs enregistreurs audio qu'en leurs propres sens. L'expérience des fantômes a toujours été un événement sensoriel. Nous voyons, entendons, ressentons et sentons une chose que nous ne pouvons expliquer.

Ignorer nos sens, c'est ignorer nos fantômes. Ce que j'aime de l'approche WISP (Witches in Search of the Paranormal – Les sorciers chercheurs du paranormal), c'est qu'elle revient aux sources ésotériques et magiques du paranormal… tout en sachant apprécier les nouvelles techniques et technologies.

Nous sommes tous le produit de notre éducation, ce qui inclut notre système de croyances religieuses. Non seulement est-il impossible d'ignorer ces racines, mais cela pourrait nous desservir. Si vous êtes chrétien, mettez votre chrétienté dans vos enquêtes paranormales. Portez une croix en guise de protection. Utilisez de l'eau bénite si vous avez peur ou si vous vous sentez menacé. Priez pour être guidé. Si vous êtes sorcier, vous disposez aussi d'outils particuliers. Tracez un cercle. Jetez un sort pour vous protéger ou vous guider. Utilisez des amulettes ou des cristaux pour tenter de communiquer avec les esprits. Présentez-vous à la table tel que vous êtes.

WISP l'a fait. Ils se sont d'abord intéressés à des cas paranormaux bien connus comme Resurrection Mary, à Chicago, et à des manifestations peu connues comme le fantôme de Belle Gunness, en Indiana. Au début, l'approche de Griffin était totalement ésotérique, mais très vite, lui et son équipe ont fait de la place aux enregistreurs audio et autres appareils rendus populaires par les enquêteurs du paranormal moderne. Ils ont obtenu des résultats : des voix inexpliquées sur leurs enregistrements audio et d'étranges anomalies sur leurs photographies. Ils croient leurs résultats, et ils croient leurs sens.

Vous êtes sur le point d'entreprendre un voyage en compagnie de sorciers qui mettent leur expérience et leur personnalité au service du paranormal. Vous avez la chance non seulement d'explorer les cas sur lesquels ils se sont penchés, mais également d'observer de l'intérieur le travail d'un groupe de chercheurs du paranormal. C'est un voyage fantastique. WISP sonde les profondeurs de ces grandes questions et touche aux visages de ceux qui sont de l'autre côté. Prenez votre balai, votre chapeau noir pointu et votre compteur de EMF. Vous êtes sur le point de partir à la chasse aux fantômes avec WISP !

— Jeff Belanger, fondateur de Ghostvillage.com, animateur de *30 Odd Minutes*, et auteur de *Picture Yourself Legend Tripping*

INTRODUCTION

LE GROUPE EN NOIR : QUI SONT LES WISP ?

Portant des vêtements plus noirs que la nuit noire et armés d'un assortiment d'appareils de chasse aux fantômes de haute technologie, quatre puissants sorciers envahissent la nuit pour entrer en communication avec les entités du monde des ténèbres. Leurs talents occultes sont sans égal, leur courage inébranlable. Comme les quatre cavaliers de l'Apocalypse, ils… hum… pardon… « Oui, chéri ? Mais. Mais, en es-tu sûr ? *La vache !* » Désolé. Ma femme me reprochait de dramatiser.

Le groupe WISP (Witches in Search of the Paranormal), en français les Sorciers chercheurs du paranormal, a été créé en 2004, dans le but d'étudier les liens entre la sorcellerie et le paranormal. L'extraordinaire auteur et propriétaire de Ghostvillage.com, Jeff Belanger, m'avait contacté par le biais de notre éditeur commun et m'avait demandé si j'accepterais d'écrire, dans son site web, une chronique mensuelle consacrée à ce lien. Après avoir bien réfléchi à l'offre de Jeff (oui, tout est de sa faute), j'ai réalisé que la seule façon d'étudier avec soin les liens entre la sorcellerie et le paranormal était d'enquêter sur le terrain. C'est ainsi que l'équipe de WISP a vu le jour.

Maintenant que vous savez *pourquoi*, parlons un peu du *comment*.

Quand l'équipe WISP a commencé à enquêter sur le paranormal, nous étions des puristes de la métaphysique. C'est-à-dire qu'au début, nous n'utilisions aucun genre de matériel de chasse aux fantômes et comptions uniquement sur notre intuition et nos connaissances ésotériques pour enquêter. Mais nous avons très vite compris qu'un mariage entre la métaphysique et la science – un équipement de haute technologie ajouté à nos talents occultes – était indispensable pour mener des enquêtes justes et objectives et pour recueillir des preuves d'activité paranormale. Ainsi est née une nouvelle race d'enquêteurs : des sorciers armés d'expérience et de technologie, au lieu de boules de cristal et de baguettes magiques.

Tous les membres de WISP ont commencé à étudier la métaphysique et tout ce qui a trait à l'ésotérisme au début de la vingtaine. Après que les quatre membres de la future équipe aient fait connaissance à l'occasion d'un festival païen dans le nord de l'Indiana, à l'été de 1999, nous avons fusionné nos assemblées respectives et avons passé la décennie suivante à étudier et à enseigner des techniques avancées de sorcellerie. Les membres de WISP ont mené des enquêtes paranormales en équipe pendant plus de sept ans, et nous finançons nous-mêmes nos activités. Durant ces sept années, WISP a mené des enquêtes sur quelques-unes des légendes les plus célèbres du Midwest et est venu en aide à de nombreux individus et familles aux prises avec leurs propres fantômes et manifestations. Aussi fascinant que cela puisse être d'enquêter sur des légendes paranormales connues, ce qui motive notre équipe avant tout le reste, c'est l'envie d'aider les autres.

Les méthodes d'enquête scientifiques et métaphysiques de WISP vous seront révélées au fil de nos étranges histoires, mais j'aimerais d'abord vous présenter chaque membre de l'équipe, afin que vous puissiez vous faire une idée plus précise des motivations qui nous poussent à enquêter sur les activités paranormales.

DANS LE DÉSORDRE : LES MEMBRES DE L'ÉQUIPE WISP

Marcus F. Griffin : chef enquêteur et fondateur de WISP

Spécialité technologique : enregistrement et analyse des preuves audio d'activité paranormale

Spécialités métaphysiques : manipulation d'énergie et expulsion des entités malveillantes

Formation et principales croyances : Moi, Marcus, j'ai grandi dans une maison hantée et j'ai été témoin, à un très jeune âge, de fréquents événements paranormaux inexplicables. À la suite de ces rencontres précoces, j'ai eu envie de découvrir et d'explorer une multitude de mondes. À 23 ans, j'ai commencé à étudier l'exercice de la sorcellerie. Dès que je me suis senti à l'aise avec cette approche, j'ai exploré et étudié tout ce qui a trait à l'ésotérisme. Je crois que l'utilisation de mes connaissances métaphysiques pour étudier et enquêter sur l'activité paranormale était la suite logique de mon parcours spirituel, et j'ai l'intention de poursuivre cette route jusqu'à ce qu'elle ait donné son plein potentiel. Je ne cherche ni à prouver, ni à réfuter l'existence d'entités d'un autre monde, mais plutôt à découvrir comment ouvrir les portes afin que le monde des vivants et celui des morts soient plus près plus que jamais l'un de l'autre. De plus, je crois que nous, humains, sommes des « fantômes » dans le monde des morts, autant que ces derniers sont des fantômes dans le nôtre.

• • • • •

Amber Morgan : enquêteuse et scribe

Spécialité technologique : enregistrement des preuves vidéo d'activité paranormale

Spécialités métaphysiques : écriture automatique, élévation de l'énergie, purification des énergies

Formation et principales croyances : À un très jeune âge, Amber a fait des expériences paranormales ; cela a commencé peu de temps après la mort de sa sœur aînée. Amber croit que le fantôme de sa défunte sœur l'a « visitée » plusieurs fois durant son enfance, pour la réprimander et la conseiller. L'intérêt d'Amber pour le paranormal s'est ravivé plus tard dans sa vie, pendant qu'elle étudiait le paganisme. Durant ses études, elle a appris à purifier les maisons et a effectué de nombreuses purifications alors qu'elle était étudiante, puis plus tard, alors qu'elle travaillait comme enseignante. Amber s'est jointe à WISP parce qu'elle cherchait une nouvelle façon d'étudier le paranormal. En découvrant que WISP voulait incorporer dans ses enquêtes les méthodologies scientifique et métaphysique, afin de découvrir la manière la plus efficace de communiquer avec le monde des esprits, Amber a été fascinée et enthousiasmée. Mariée à Sam, Amber est aussi la scribe de l'équipe ; elle classe les comptes rendus de toutes les procédures métaphysiques et activités paranormales captées durant les enquêtes de WISP.

• • • • •

Sam Leonhart : enquêteur

Spécialité technologique : magicien de l'électronique

Spécialités métaphysiques : psychométrie, psychologie, manipulation d'énergie

Formation et principales croyances : Très jeune, Sam a acquis de l'expérience en travaillant avec l'énergie lors de séances en famille. Plus tard, il a étudié le paganisme et, ayant atteint un haut niveau de compétence, il a cofondé deux assemblées wiccanes. Ses études l'ont finalement conduit à la prêtrise, et depuis son ordination, il a présidé de nombreuses cérémonies telles que *handfastings* (cérémonies de mariage wiccan), rites funéraires, baptêmes et initiations. Sam croit que son entrée dans l'équipe WISP était l'occasion rêvée de poursuivre ses études métaphysiques, et que cela lui a apporté ce qu'il pense être le véhicule parfait pour prouver ou réfuter les comptes rendus d'activité paranormale. Sam croit à l'existence de l'activité paranormale, mais il veut recueillir des preuves irréfutables qu'il pourra partager avec autrui – les sceptiques autant que les croyants. Il croit également que nous sommes tous connectés à travers les énergies qui sont universelles à ce monde et à tous les autres mondes existants.

• • • • •

Becca B. Griffin : enquêteuse, photographe, vidéographe

Spécialités technologiques : cueillette de preuves photographiques, historienne

Spécialités métaphysiques : manipulation d'énergie, astrologie, ritualisme

Formation et principales croyances : Dans sa jeunesse, Becca a vécu plusieurs événements paranormaux qui ont alimenté sa curiosité naturelle pour tout ce qui est invisible et inexpliqué. Plus tard, elle a découvert que sa grand-mère possédait des dons psychiques, et elle s'est très vite rendu compte qu'elle possédait les mêmes dons. Dans la mi-vingtaine, Becca a commencé des cours privés de sorcellerie et de paganisme, ce qui allait l'amener à devenir prêtresse. Avec son mari, Marcus, elle est cofondatrice d'une église païenne et professeure d'une assemblée dans le nord de l'Indiana. C'est après la mort de sa mère, en 1990, que Becca a commencé à s'intéresser à la recherche paranormale. Elle se dit qu'il était tout à fait logique, vu son désir d'en apprendre autant que possible durant sa vie, de joindre les rangs de WISP.

Maintenant que vous connaissez l'équipe, prenons le temps d'analyser les techniques métaphysiques dont se sert WISP afin d'étudier le lien entre la sorcellerie et le paranormal.

LA FILIÈRE DE LA SORCELLERIE, PREMIÈRE PARTIE

On s'imagine souvent que les praticiens de la sorcellerie ont un lien plus profond avec le surnaturel que l'individu moyen. Est-ce la vérité ? S'agissant de chasser les fantômes et d'enquêter sur les activités paranormales, le lien qui existe entre le sorcier et le surnaturel lui donne-t-il un avantage sur les enquêteurs du paranormal qui incorporent uniquement des méthodes scientifiques dans leurs enquêtes ?

Dans les enquêtes ci-après, les membres de WISP utilisent tous les outils métaphysiques et scientifiques et toutes les connaissances à leur disposition pour analyser les mystères du paranormal et découvrir par eux-mêmes la profondeur et l'importance du lien entre sorcellerie et paranormal. Oui, la science joue un rôle crucial dans la capacité de WISP de recueillir et d'analyser les preuves d'entités paranormales, tout comme notre instinct et notre savoir métaphysique sont cruciaux pour entrer en communication avec ces entités – mais au-delà des gadgets technologiques, nous utilisons des capacités métaphysiques et des techniques avancées pour induire un rapprochement entre le monde des vivants et le monde des morts.

Le premier outil métaphysique que nous utilisons pour atteindre cet objectif est connu des praticiens de l'occulte comme la *manipulation de l'énergie*. Alors qu'un adepte peut utiliser la manipulation de l'énergie pour diverses raisons et en toutes circonstances, WISP utilise des applications très spécifiques dans le but de communiquer avec les morts. Ces applications incluent, mais ne se limitent pas à :

- Créer une frontière protectrice ;
- Ériger un mur d'énergie afin de garder les entités non indigènes loin d'un site d'enquête, et maîtriser les entités indigènes ;
- Éclairer un lieu précis à l'aide d'énergie, afin d'ouvrir la communication avec les esprits ;
- Ouvrir un portail (tel un vortex) en pratiquant un trou entre le monde des vivants et celui des morts ;
- Repousser les esprits tapageurs qui posent problème ou les esprits malveillants ;
- Créer et maintenir un champ d'énergie concentré auquel les fantômes peuvent s'alimenter, leur permettant ainsi d'établir un contact plus fort et plus fréquent ;
- Obliger la matérialisation et/ou la communication verbale avec les entités paranormales.

Une des principales croyances de WISP, c'est qu'un enquêteur ne devrait pas se lancer dans une enquête pour « prouver » ou pour « réfuter » l'activité paranormale. Nous croyons qu'un tel état d'esprit peut desservir une enquête. Ce qui ne signifie pas, bien sûr, qu'il ne faille pas d'abord chercher une explication naturelle à un phénomène soi-disant paranormal. Il faut toujours vérifier les possibles causes naturelles avant d'envisager une cause paranormale. Mais à notre avis, il y a trop d'enquêteurs du paranormal qui cherchent à « démystifier » le phénomène paranormal. Cela pourrait être aussi nuisible que d'entreprendre une enquête en étant convaincu que des fantômes sont tapis dans tous les coins.

Quand on veut réaliser une enquête juste et non contaminée, il faut absolument garder l'*esprit ouvert* à toutes et à chacune des possibilités, à la fois naturelles et surnaturelles. Ce que je veux dire ? Essayez ceci : imaginez un groupe d'enquêteurs du paranormal entrant dans un lieu soi-disant hanté, avec l'intention de démystifier une possible activité paranormale. Que se passera-t-il ? À peu près la même chose qui se passerait si une équipe de scientifiques entrait chez vous pour tenter de démystifier votre existence. Autrement dit, imaginez que ces scientifiques sont là pour prouver que *vous n'êtes pas réel. Que vous n'existez pas.* Imaginez cette équipe de scientifiques vous répétant sans cesse que *vous n'existez pas.* D'après vous, que va-t-il se passer exactement ?

Je ne suis pas voyant, mais j'imagine deux des scénarios les plus probables : soit vous allez vous tapir dans un coin en gémissant, soit vous serez tellement offusqué que vous aller frapper un ou deux de ces savants. Maintenant, imaginez la même équipe de scientifiques entrant chez vous avec une franche ouverture d'esprit, ne cherchant pas à prouver quoi que ce soit, mais se contentant d'observer. Ah, ah ! Je devine qu'une scène totalement différente vous passe par la tête à la seconde même. Finalement, visualisez une équipe d'enquêteurs du paranormal entrant dans un lieu soi-disant hanté avec la même ouverture d'esprit. Si j'étais le fantôme en question, je serais sans doute beaucoup plus enclin à agir naturellement que si la même équipe d'enquêteurs cherchait à nier ma présence.

Le logo de l'équipe WISP représente une pièce de puzzle à l'intérieur d'une pièce de puzzle. C'est ainsi que nous voyons le paranormal – un puzzle dans un puzzle. Nous croyons que l'activité paranormale ne peut jamais être totalement « prouvée » ou « réfutée ». Et c'est là sa vraie beauté. Le paranormal est un beau mystère, et comme tout vrai mystère, ce n'est pas une chose que l'on doit résoudre ou réfuter ; c'est une chose qu'il faut savourer. Ce sont les mystères qui rendent notre monde intéressant. C'est ce qui fait que notre vie est plus magique. À l'appui de mes dires, posez-vous cette question : qu'est-ce qui serait le plus magique ? Écouter les nouvelles de 18 h et voir une équipe de journalistes filmer une créature de 60 m de long, échouée sur la rive du Loch Ness, ou vous tenir au bord de ce lac et imaginer l'étrange créature qui nage sous la surface ? Oui, la preuve de l'existence de cette créature constituerait une découverte scientifique fort intéressante, mais cela éradiquerait aussi à tout jamais une parcelle de la magie que recèle notre monde.

LES PVE

Les preuves audio d'activité paranormale sont très importantes pour les enquêtes de WISP. Tellement importantes, en fait, qu'avant que je vous relate les aventures de l'équipe, nous devrions prendre un moment pour voir comment l'équipe de WISP classe les PVE, ou *phénomènes de voix électroniques*.

Les phénomènes de voix électroniques, qu'un grand nombre d'enquêteurs croient être les voix des morts captées sur des enregistrements audio, sont sans conteste les preuves les plus fascinantes d'activité surnaturelle saisies durant les enquêtes paranormales. Ce sont aussi les preuves le plus fréquemment découvertes.

Voici les descriptions des trois catégories de PVE que WISP utilise quand vient le temps d'évaluer les preuves audio d'une activité paranormale :

1. Catégorie A. Les PVE de catégorie A sont des voix très claires que tous ceux et celles qui écoutent l'enregistrement n'ont aucun mal à entendre. Les PVE de catégorie A n'ont pas besoin d'être amplifiés ou nettoyés par un programme informatique pour être entendus. On les entend clairement, directement de l'appareil d'enregistrement.

2. Catégorie B. Les PVE de catégorie B sont assez faciles à entendre et à décrypter, mais toutes les personnes qui écoutent l'enregistrement ne s'entendent pas nécessairement sur ce que dit la voix. Il se peut que les auditeurs aient du mal à capter chaque mot prononcé. Les PVE de catégorie B exigent normalement un certain degré d'amplification et de nettoyage à l'aide d'un programme informatique, avant que l'on puisse les comprendre.

3. Catégorie C. Les PVE de catégorie C sont souvent des enregistrements de piètre qualité quasi impossibles à décrypter, même après avoir été améliorés à l'aide d'un programme informatique. Souvent, les PVE de catégorie C se résument à de faibles chuchotements et sont difficiles à discerner des bruits de fond.

LA CHASSE COMMENCE

Maintenant que vous savez qui, comment et pourquoi, je pense que nous devrions nous remuer. Il se fait tard et les fantômes rôdent. Il est temps de concentrer nos esprits, de rassembler notre matériel et de faire nos tout premiers pas sur le chemin menant à l'autre monde. C'est le chemin de mon enfance. Allons sans plus tarder visiter le chemin Cableline.

PROLOGUE

LE MONSTRE DU CHEMIN CABLELINE

Il semble que d'aussi longtemps qu'il y a eu des rues, des chemins et des autoroutes, il y a eu des fantômes pour les hanter. Il se peut que les premières légendes routières aient été basées sur les vivants plutôt que sur les morts : le mystère du voyageur inconnu ou l'incertitude quant à qui ou quoi pouvait vous attendre dans le détour. Dans ma jeunesse, avec mes amis, il nous arrivait d'emprunter une route du nord de l'Indiana que l'on disait hantée par le fantôme d'un motocycliste. Ce bout de route était également grevé d'une étrange légende urbaine : *le monstre du chemin Cableline.*

L'histoire du motocycliste fantôme est en partie basée sur des faits. Au milieu des années 1970, un motocycliste s'est tué sur le chemin Cableline ; il a heurté un arbre après avoir brûlé un stop à très grande vitesse. Il avait alors laissé un macabre souvenir de l'accident : sous la violence de l'impact, les contours de son corps étaient restés imprimés dans l'écorce de l'arbre. Je n'oublierai jamais la première fois que j'ai levé les yeux sur cette marque. La silhouette du motocycliste était si nette sur le tronc de l'arbre, que j'ai senti un frisson courir le long de ma colonne vertébrale. Cela me fait le même effet aujourd'hui. La légende du motocycliste fantôme a fait partie intégrante de ma jeunesse, et fut en grande partie responsable de ma fascination pour le paranormal plus tard.

Mais le monstre du chemin Cableline est une tout autre histoire. Je ne suis pas sûr de l'origine de cette légende urbaine, mais je me souviens très bien que plus jeune, j'aimais la raconter, car je la trouvais savoureuse. Je me rappelle avoir amené des petites amies ou des copines d'un soir faire une petite virée nocturne sur le chemin Cableline, dans l'espoir de leur donner un petit frisson. Mon intention cachée, bien sûr, était de convaincre la jeune fille de se blottir contre moi, pendant que nous roulions lentement sur le chemin Cableline et que je lui racontais la légende du monstre. Normalement, tout marchait comme sur des roulettes. Ce genre de souvenir me pousse à me demander combien d'histoires étranges et de légendes de fantômes ont vu le jour pour une raison aussi simple que le gars qui veut séduire la fille. Ou tout au moins l'impressionner.

Qu'y a-t-il, dans le paranormal et les fantômes, pour attirer autant de gens? Est-ce la promesse d'échapper temporairement aux obligations et à la prévisibilité de la vie quotidienne? Est-ce l'excitation de faire l'expérience directe de l'inconnu? L'envie d'avoir une histoire fascinante à raconter à nos amis et à notre famille? Ou est-ce quelque chose d'encore plus profond? La croyance dans les fantômes et dans les mondes invisibles recèle un important message spirituel et un besoin psychologique fondamental. Nous voulons avoir la certitude qu'il existe quelque chose au-delà de ce que nous pouvons voir de nos yeux et toucher de nos propres mains – nous voulons avoir l'assurance que, sous une forme ou une autre, *il y a* une vie après la mort.

Cela me fait bizarre, pendant que j'écris ce prologue par une journée de printemps chaude et ensoleillée, d'avoir envie de parler du monde obscur et mystérieux des fantômes et du paranormal. Les plantes sont en fleurs, la nature et la vie m'entourent de toutes parts, et pourtant – un petit coin secret au fond de moi est ému par la nuit et un voyage solitaire sur une route hantée. Je suis attiré par le fantôme et par ce que ma croyance en lui a à m'offrir – l'idée que je continuerai de vivre après avoir quitté ce monde. Qu'un jour, le chasseur sera la chose qu'il a chassée.

En commençant à lire les enquêtes ci-après, vous vous rendrez compte que j'ai pris quelques libertés pour les titres des chapitres de ce livre. Toutes nos enquêtes ne se focalisent pas nécessairement sur les routes et les fantômes qui les hantent. Mais il y a toujours une route pour nous mener à destination. C'est toujours une route qui se transforme en chemin qui nous conduit toujours plus loin dans les mondes de l'invisible et de l'inexpliqué. Si le voyage d'un millier de kilomètres commence par un pas, en tant qu'enquêteurs du paranormal, il nous faut franchir mille kilomètres simplement pour arriver à faire le premier pas.

Quelqu'un a comparé la vie à une autoroute, chaque route que nous prenons nous rapprochant de plus en plus de nos destinées, chaque sortie étant la chance de vivre une nouvelle expérience. À un certain moment de mon passé, j'ai pris, sur l'autoroute de la vie, une sortie qui m'a conduit dans les mondes étranges et souvent bizarres de l'occulte et du paranormal. Et pour moi, tout au moins, il est beaucoup trop tard pour faire demi-tour. Alors, laissez-moi vous entraîner aux fins fonds de la nuit hantée et vous raconter l'histoire de notre étrange voyage. Accompagnez-nous sur la route longue et mystérieuse qui mène à l'inconnu.

CHAPITRE 1

LE CHEMIN MCCLUNG : BELLE GUNNESS ET L'HORREUR DE LA FERME SANGLANTE

Enquête : ancienne propriété de Belle Gunness

Date du début : 22 avril 2006

Lieu : La Porte, Indiana

QUI ÉTAIT BELLE GUNNESS ?[1]

Belle Gunness – née Brynhild Paulsdatter Storset, à Selbu, en Norvège, en novembre 1859 – est sans doute la tueuse en série la plus notoire de l'Amérique. On fait souvent référence à Belle Gunness comme à Lady Bluebeard, et son histoire est assez macabre pour avoir inspiré le folklore et les chants folkloriques. On croit qu'elle a assassiné jusqu'à 40 personnes durant son règne sanglant à La Porte, en Indiana, sur une ferme porcine du début du XXe siècle, bien qu'à ce jour, seulement 20 corps et quelques membres épars aient été découverts sur ce qui fut jadis sa propriété. Après avoir soi-disant assassiné ses deux premiers maris pour empocher l'argent des assurances, le mode opératoire de Belle pour trouver ses victimes consistait à placer des annonces dans le courrier du cœur des journaux en langues étrangères.

---

1. Une partie de la toile de fond historique de ce chapitre a été trouvée en ligne, sur la page consacrée à Belle Gunness, sur le site La Porte County Historical Society, www.laportecountyhistory.org/belleg1.htm.

> *Recherché – Une femme possédant une ferme prospère,*
> *bien située et en excellente condition, cherche un homme bon*
> *et fiable, désireux de devenir son associé dans l'affaire. Une*
> *petite somme est requise en argent comptant, pour laquelle*
> *vous obtiendrez une garantie de première classe[2].*

Ceux qui ont eu la malchance de répondre à l'annonce de Belle se sont fait dire de vendre tout ce qu'ils possédaient et de venir vivre avec elle à La Porte. Gunness avait découvert un moyen facile de faire de l'argent : le meurtre. Un seul des hommes qui avaient répondu à son annonce est ressorti de la ferme vivant.

L'HISTOIRE SANGLANTE D'UNE TUEUSE EN SÉRIE : BELLE GUNNESS

Au petit matin, le 28 avril 1908, une maison de ferme située sur le chemin McClung, en périphérie de La Porte, a été rasée par un incendie. Belle Gunness, 48 ans, était propriétaire de la ferme où elle habitait depuis 1901. C'est le shérif du comté de La Porte, Albert Smutzer, qui a dirigé l'enquête. Arrivés sur la scène de l'incendie, les enquêteurs ont passé les décombres au peigne fin et ont fait une macabre découverte. Quatre corps furent retrouvés dans ce qui restait du sous-sol de la maison : ceux d'une femme adulte et de trois enfants.

Les enquêteurs ont d'abord pensé qu'il s'agissait des dépouilles de Belle Gunness et de ses trois enfants : Myrtle, 11 ans ; Lucy, 9 ans et Phillip, 5 ans. Le shérif Smutzer s'est vite aperçu que ce qui avait d'abord eu l'apparence d'une enquête de routine était tout sauf ça. Bien que les corps des trois enfants aient tôt fait d'être identifiés, il manquait la tête au corps de la femme, qui ne pouvait donc pas être identifiée à l'aide des empreintes dentaires. De plus, la grosseur

---

2 Source : Brochure promotionnelle fournie par la Société historique du comté de La Porte, pour l'exposition permanente Belle Gunness au musée de la Société.

du corps posait problème. Belle Gunness mesurait environ 1,75 m et pesait un impressionnant 128 kg, alors que le corps dans le sous-sol de la maison incendiée mesurait approximativement 1,60 m et faisait environ 56 kg. La différence était trop importante pour qu'on l'ignore.

De plus, l'incendie qui avait détruit la maison était d'origine suspecte. Cherchant des réponses à toutes ces questions, le shérif Smutzer convoqua Ray Lamphere, l'homme à tout faire de Belle, afin de l'interroger. Au début, Lamphere prétendit ne rien savoir et nia toute implication dans l'incendie, mais un témoin oculaire affirma l'avoir vu fuyant la ferme le matin de l'incendie. Il fut accusé d'incendie criminel et du quadruple meurtre. Le 26 novembre 1908, Lamphere fut acquitté des meurtres, mais le jury le trouva coupable d'avoir allumé le feu. Pendant qu'il purgeait sa peine, il contracta la tuberculose et mourut en prison en décembre 1909.

Mais avant de mourir, Lamphere avait fait une confession dans laquelle il affirmait que Belle Gunness n'était pas morte dans l'incendie. Lamphere disait avoir aidé Belle à s'enfuir en la conduisant à Stillwell, une petite ville située à une douzaine de kilomètres à l'est de La Porte, où elle avait pris le train pour Chicago. Lamphere avoua être retourné à la ferme après avoir déposé Belle à Stillwell, et avoir mis le feu à la maison pour tenter de dissimuler sa fuite. Il affirma également que le cadavre qui avait été retrouvé dans les décombres était celui d'une femme de Chicago que Belle avait embauchée comme servante quelques jours avant l'incendie. Il déclara que Belle avait assassiné ses trois enfants et caché leurs corps dans le sous-sol de la maison pour faire croire qu'ils étaient morts dans l'incendie. Il admit également avoir aidé Belle à enterrer les corps de ses victimes, ou à en disposer, mais nia toute implication dans leur assassinat. La croyance populaire veut que Ray Lamphere ait été amoureux de Gunness et qu'il soit mort en se languissant toujours de sa patronne meurtrière.

C'est en mai 1908 que furent découverts les corps des autres victimes de Belle, lorsqu'un homme du Dakota du Sud, un certain Asle Helgelien, arriva à La Porte pour y chercher Andrew, son frère disparu. Andrew était venu en Indiana pour rencontrer et, espérait-il, marier Belle après avoir répondu à l'annonce qu'elle avait placée dans un journal de langue norvégienne. Asle avait contacté Belle plusieurs mois plus tôt, pour s'enquérir de ce que son frère était devenu, et Belle lui aurait alors répondu que cela n'avait pas fonctionné entre eux et qu'Andrew avait quitté la ferme. Ne croyant pas son histoire, Asle s'était rendu à La Porte. Le 4 mai, il avait contacté le shérif Smutzer et lui avait dit craindre que son frère Andrew ne soit tombé aux mains de Belle. Asle avait ensuite demandé au shérif la permission d'effectuer des recherches sur la propriété de Gunness et d'y faire quelques fouilles.

Deux histoires contradictoires circulent quant à la réaction du shérif Smutzer à la requête d'Asle. Dans la première, le shérif aurait refusé à Asle la permission de procéder à des fouilles sur la ferme, mais ce dernier n'en aurait pas tenu compte. Dans la seconde, les accusations d'Asle auraient éveillé les soupçons du shérif qui lui aurait accordé la permission d'entamer des recherches. Quoi qu'il en soit, Asle a procédé à des fouilles sur la ferme Gunness. Joe Maxon, un des hommes à tout faire que Belle avait embauchés à l'époque de l'incendie, lui avait indiqué où creuser pour trouver des corps. Le 5 mai 1908, le premier corps fut découvert quatre pieds sous terre. Malheureusement pour Asle, c'était celui de son frère Andrew. En tout, 12 corps furent déterrés sur la ferme Gunness. Asle Helgelien fit inhumer les restes de son frère au cimetière de Walker (maintenant connu comme le cimetière Patton) et rentra chez lui, dans le Dakota du Sud.

On ignore quel fut le vrai destin de Belle Gunness. Belle est-elle morte avec ses enfants, comme certains le croient, dans un incendie accidentel ? Ou a-t-elle réussi à s'échapper, ni vue ni connue, sans avoir payé pour ses horribles crimes ? Nous ne le saurons sans doute jamais. Mais une chose est certaine : la légende de Belle Gunness et l'Horreur de la ferme sanglante hanteront toujours les annales de la littérature où il est question des fantômes.

RECHERCHE ET DÉCOUVERTE

L'équipe WISP a entamé son enquête sur les meurtres de Belle Gunness en se rendant à la bibliothèque du comté de La Porte, où nous avons trouvé de nombreux documents à cet effet. En fait, les documents concernant les meurtres de Gunness étaient une attraction tellement populaire à la bibliothèque, que tout ce qui concernait cette histoire avait été réuni en un seul dossier (très volumineux). Le bibliothécaire nous ayant prêté le dossier, l'équipe WISP a déniché une table libre au fond de la bibliothèque et s'est lancée dans la tâche colossale d'éplucher l'énorme pile de découpures de journaux, d'extraits de livres et d'articles de magazines qui parlaient des meurtres. Le matériel gardé à la bibliothèque datait d'aussi loin que 1908 (l'année où les premiers corps furent retrouvés) et d'aussi près que 2005.

Parmi les plus intéressants documents, un article de journal datant de 1931 rapportait que le Service de police de Los Angeles (LAPD) croyait avoir eu Belle Gunness en garde à vue. Le LAPD avait arrêté une dénommée Esther Carlson, accusée d'avoir empoisonné August Lindstrom, son employeur âgé de 81 ans. L'article rapportait que George Stahlman, procureur adjoint du district de Los Angeles, avait contacté le shérif McDonald (prénom inconnu), dans le comté de La Porte, pour lui dire qu'il soupçonnait Esther Carlson d'être nulle autre que la notoire Belle Gunness. Bizarrement, le shérif McDonald avait hésité à agir sur les soupçons de Stahlman et avait refusé de dépenser de l'argent pour envoyer un enquêteur en Californie, tant qu'il ne disposerait pas de preuves plus convaincantes. Aucune autre preuve n'ayant été apportée, les soupçons de Stahlman, selon lesquels Esther

Carlson était véritablement Belle Gunness, ne furent jamais prouvés ou réfutés. La vérité est morte en prison avec Esther Carlson.

L'un des principaux objectifs de notre visite à la bibliothèque du comté de La Porte était de découvrir l'emplacement exact de l'ancienne ferme Gunness. Ce dont nous étions sûrs, c'était que la propriété se trouvait en bordure du chemin McClung, en périphérie de la ville. Par une chance inouïe, Becca découvrit, à travers les centaines de découpures de journaux que nous avions retirées de la pile de documents, un obscur article qui donnait une description détaillée du paysage entourant l'ancienne propriété Gunness. Ces indices géographiques étaient tout ce dont nous disposions pour travailler, car nos tentatives pour trouver un nom de rue et une adresse avaient été totalement inutiles. C'est ainsi qu'avec quelques indices en main, nous avons quitté la bibliothèque et pris la direction du chemin McClung.

L'ANCIEN TERRITOIRE DE CHASSE DE BELLE

Même si nous étions sûrs de pouvoir localiser l'ancienne ferme Gunness, les indices géographiques dont nous disposions allaient certainement nous obliger à déployer au maximum nos talents de limiers. L'article que Becca avait trouvé disait qu'une nouvelle maison de plain-pied avait été construite sur les anciennes fondations de la maison de Belle, en haut d'un monticule. En outre, l'article parlait d'une courbe dans le chemin, directement en face de la propriété, ainsi que d'une grande rangée de cèdres et de frênes. En roulant sur le chemin McClung, nous sommes passés près d'une maison qui correspondait à cette description. Enfin… qui correspondait *presque* à cette description. La géographie correspondait, mais c'était une maison de deux étages, et non la maison de plain-pied décrite dans l'article.

Tout en me demandant si nous avions bien découvert la propriété de Belle et si une erreur s'était glissée dans l'article, j'ai arrêté la voiture sur le bord de la route et j'ai éteint le moteur. La première chose que j'ai remarquée était une grosse pancarte noir et orangé qui indiquait *Passage interdit,* à l'intérieur d'une des fenêtres de la maison. J'étais encore plus circonspect, et je me demandais si le propriétaire actuel s'était déjà fait aborder par des gens qui enquêtaient sur Belle Gunness dans le passé. Ne sachant pas trop si je devais frapper à la porte, j'ai scruté les maisons voisines, à la recherche du moindre signe de vie. J'ai été ravi d'apercevoir une jeune femme qui jouait avec ses trois enfants sur le parterre avant de la maison voisine. J'ai dit à mes coéquipiers que j'irais voir si la femme accepterait de me parler et, armé d'un crayon et d'un bloc-notes, je suis sorti de la fourgonnette et suis parti dans sa direction.

En me voyant approcher, la femme m'a gratifié d'un large sourire. Elle sortit du coin ombragé où elle se tenait, sous un arbre, et, dans le pur style de l'Indiana, me souhaita la bienvenue comme cela se fait à la campagne. Je me suis présenté en disant que j'écrivais et que je faisais une recherche pour une série d'articles sur Belle Gunness, puis je lui ai demandé si elle savait où se trouvait la propriété de Belle. Elle m'a répondu qu'elle pensait que c'était la maison voisine, mais qu'elle n'en était pas certaine, puis elle a dit que son mari le savait probablement et qu'il était dans la cour arrière en train de tondre le gazon. Elle a ajouté qu'elle était certaine qu'il accepterait de me parler de Belle et qu'elle se ferait une joie d'aller «le cueillir» pour moi.

Je l'ai remerciée en disant que je lui en serais très reconnaissant. La femme disparut derrière la maison et revint quelques minutes plus tard en compagnie de son mari, qui avait l'air tourmenté. Quand je me suis présenté et que je lui ai expliqué ce que je cherchais, le jeune homme m'a fait ce sourire en coin qui en dit long. Il a répondu que, même s'il ne savait pas grand-chose, il serait heureux de m'en faire part. Il m'a dit qu'en effet, la maison voisine était la propriété de Belle Gunness, et que la plupart des terrains environnants avaient fait partie de sa ferme. Quand j'ai répliqué que l'article décrivait une maison de plain-pied et que celle-ci comptait deux étages, il m'a expliqué que la nouvelle maison avait d'abord été construite comme un plain-pied, mais que le propriétaire actuel y avait ajouté un étage plusieurs années plus tôt. Il ajouta que le propriétaire actuel était « un homme charmant », malgré l'énorme écriteau *Passage interdit* dans la fenêtre avant.

Puis il m'a confié que la femme qui habitait dans cette maison lui avait raconté une histoire épouvantable. Un jour, en plantant des fleurs dans son jardin, cette femme avait déterré un bout de doigt humain et cela lui avait vraiment « levé le cœur ». Il conclut en ajoutant que c'était tout ce qu'il savait de Belle Gunness et de ses voisins immédiats. Je lui ai alors demandé si nous pourrions mener une enquête paranormale sur sa propriété après les heures de travail, advenant que l'actuel occupant de la propriété de Belle me refuse sa permission. Le jeune homme m'a informé que le terrain ne lui appartenait pas et qu'il était là uniquement pour tondre le gazon. Malheureusement, le propriétaire n'était pas là en ce moment. Il m'a conseillé de revenir un autre jour si je voulais obtenir la permission de procéder à une enquête.

Je l'ai remercié et je suis retourné à la fourgonnette, où j'ai rapporté à mon équipe ce que le jeune homme venait de me raconter. Je leur ai dit que j'appréhendais encore ce qui pourrait se passer, mais que j'allais me présenter sur la propriété de Belle et voir si l'actuel propriétaire accepterait de me parler. Je sentais qu'il serait préférable de me présenter seul plutôt que d'y aller à quatre. Mes coéquipiers ayant approuvé ma décision, je suis sorti de la fourgonnette une deuxième fois et j'ai entrepris de remonter l'allée menant à ce qui avait été le territoire de chasse de Belle. C'est à cet instant que j'ai été frappé par la réalité de ce qui s'était produit sur la propriété près d'un siècle plus tôt : une vision noire des ébats meurtriers de Belle s'est emparée de mon esprit et l'a enveloppé de ténèbres. J'étais sur la ferme sanglante.

De tous les prétendants de Belle, un seul avait survécu pour témoigner des supplices que les hommes avaient subis sur sa ferme. Ce prétendant était George Anderson, du Missouri. Tout en escaladant la pente raide qui menait au site de la maison de Belle, j'imaginais le cauchemar que George avait pu vivre la nuit où il avait réussi à s'échapper de l'emprise diabolique de Belle.

Une nuit, durant son séjour à la ferme, George s'était réveillé en sueur et avait aperçu Belle penchée au-dessus de lui, une chandelle à la main. L'expression sur son visage était si meurtrière que George s'était levé d'un bond et avait poussé un cri. Belle était ressortie de la chambre sans dire un mot. L'homme avait eu tellement peur en voyant l'expression sur le visage de Belle qu'il avait pris ses jambes à son cou et avait couru jusqu'à La Porte, en vérifiant sans arrêt s'il n'était pas suivi. George Anderson avait acheté un billet et avait sauté dans le prochain train pour le Missouri; il n'était jamais retourné sur la ferme Gunness pour y récupérer ses affaires personnelles.

Pendant mon ascension, j'avais moi aussi un mauvais pressentiment. Était-ce mon inconscient qui me jouait des tours? L'histoire sinistre de la propriété était-elle si puissante qu'elle pesait sur tous mes sens? Ou encore, l'héritage du règne sanglant de Belle avait-il imprégné si profondément la terre qu'un siècle n'avait pas suffi à la purifier? C'était une belle journée de printemps; le paysage était vert et magnifique, mais malgré tout, j'avais l'impression que quelque chose n'allait pas sur cette propriété. En matière de sentiments et de sensations, il y a dans l'ancienne ferme de Belle une noirceur que l'on ne peut comprendre, à moins d'en avoir fait l'expérience directement. Tout en essayant de combattre mon malaise, je me suis approché de la porte arrière de la maison et j'ai appuyé sur la sonnette. Pas de réponse. Soit il n'y avait personne, soit on ne voulait pas entendre la sonnerie. J'ai regardé autour de moi en me demandant si les fantômes du passé erraient toujours par ici.

J'ai pris quelques photographies et je suis allé rejoindre mes coéquipiers dans la fourgonnette.

LE GENTIL VOISIN

Après plusieurs tentatives échelonnées sur plusieurs semaines, j'ai enfin pu parler au propriétaire actuel. Les nouvelles n'étaient pas bonnes. Tout en étant favorable à l'idée que WISP effectue une enquête paranormale sur son terrain, il m'a informé que cela ne pourrait pas se faire dans un futur rapproché, parce qu'il venait de signer un contrat avec une société de production qui prévoyait tourner un film sur l'histoire de Belle Gunness sur sa propriété. Le contrat accordait à la société de production l'accès exclusif à la propriété, et ce, jusqu'à la fin du tournage.

J'ai objecté que ce que la société de production s'apprêtait à filmer était une *fiction* basée sur la vie et l'époque de Belle Gunness, alors que WISP se proposait de mener une enquête et de documenter les *faits réels*. Malheureusement, ma défense est tombée dans l'oreille d'un sourd. Pour l'heure, tout au moins, WISP ne serait pas autorisé à enquêter sur la propriété.

Mais notre projet n'était pas mort dans l'œuf. En tout cas pas encore. La maison voisine, située à moins de 16 m de l'ancienne maison de Belle, était à vendre. À l'époque, Belle possédait un terrain de plusieurs hectares. Aujourd'hui, la propriété est divisée en une multitude de parcelles de terre. Ainsi, même si la maison nous était interdite, il nous restait quelques possibilités. Quoi qu'il en soit, me suis-je dit, WISP trouvera le moyen d'enquêter sur l'ancienne propriété de Belle. Au bout du compte, ça a été un jeu d'enfant d'obtenir la permission de mener une enquête.

L'écriteau planté sur le parterre avant de la maison voisine précisait que la propriété était *à vendre par le propriétaire*. C'était notre chance. Cela voulait dire que nous ne serions pas obligés de passer par un agent immobilier pour obtenir des renseignements sur la propriété. Cela voulait dire que nous pouvions aller directement à la source.

J'ai sonné et j'ai été accueilli par un homme âgé qui semblait plus qu'heureux de parler avec moi et de me dire ce qu'il savait de sa propriété et de l'histoire de Belle Gunness. L'homme (dont je tairai le nom par respect pour sa vie privée), m'a dit qu'il vivait là depuis très longtemps et que la bauge à cochons de Belle se trouvait autrefois dans sa cour arrière. C'était la souille où plusieurs experts croient que Belle donnait les restes de ses victimes à manger aux cochons, pour se débarrasser de leurs corps.

L'homme m'a également raconté avoir entendu des voix étranges provenant du caveau à légumes derrière sa maison, au fil des ans. Il m'a affirmé être très souvent descendu dans le caveau (armé de son fusil de chasse) après avoir entendu des voix, pour aussitôt constater qu'il n'y avait personne. Je me rappelle avoir pensé, en entendant cela, *en tout cas, personne que l'on puisse voir à l'œil nu*. Il m'a aussi informé que des objets personnels avaient été déplacés dans sa maison, ou avaient carrément disparu.

Après avoir écouté les anecdotes étranges du propriétaire, j'étais convaincu qu'il y avait une activité paranormale forte et fréquente sur sa propriété. Mais il fallait encore le prouver. Le temps était venu de poser ma question à 64 000 $: donnerait-il la permission à WISP d'enquêter sur sa propriété ? J'ai été ravi de l'entendre répondre oui à ma question.

WISP était plus que bienvenu d'effectuer une enquête sur sa propriété. Nous avions convenu que l'équipe WISP pourrait accéder à la propriété à tout moment, à condition d'en informer le propriétaire 24 h à l'avance. Nous nous sommes ensuite mis d'accord pour qu'un seul membre de l'équipe puisse descendre dans le caveau afin d'y mener son enquête. WISP avait alors décidé que j'étais la personne la plus qualifiée pour enquêter à l'intérieur. Les fantômes de Belle Gunness et de ses victimes hantaient-ils cette terre légendaire ? Nous le saurions bientôt.

À LA RECHERCHE DU FANTÔME
DE BELLE GUNNESS

Deux semaines plus tard, tandis que l'équipe WISP rassemblait son matériel et se préparait à enquêter, j'ai avoué à mes coéquipiers que la pensée d'entrer seul dans le caveau me causait un malaise. L'idée de me retrouver dans le caveau, où Belle avait enterré autant de ses victimes, était pour le moins troublante. Il restait aussi à savoir si oui ou non certaines victimes gisaient toujours sous terre, quelque part sur la propriété. À ce jour, seulement 12 corps ont été exhumés sur le site de l'ancienne ferme de Belle, et certains estiment qu'une trentaine de corps jamais retrouvés pourraient toujours être enterrés là. Me retrouver au milieu d'une fosse commune n'était pas l'idée que je me faisais du plaisir.

Puis mon inconscient a commencé à me jouer des tours. J'avais beau tout faire pour ne pas céder à mes idées noires, le visage spectral d'une Belle Gunness, armée d'un couteau à viande dans ce caveau sombre, flottait sans cesse dans ma tête. Je me demandais, si je rencontrais le fantôme de Belle Gunness, si je serais capable de le maîtriser seul ? Aussi abominable que Belle ait pu être de son vivant, son caractère diabolique l'avait-il suivie dans la tombe ? Chassant cette vision d'horreur du mieux que je pouvais, j'ai mis des piles neuves dans nos enregistreurs numériques et j'ai aidé mon équipe à mettre le reste de notre équipement dans la fourgonnette.

C'était une soirée fraîche du début de mai. Pendant que nous roulions vers La Porte et les fantômes du passé, l'enquête à venir occupait nos pensées. Arrivés à destination, nous fûmes accueillis par le propriétaire qui nous attendait dans l'allée. Il nous précisa qu'il avait l'habitude de rester éveillé très tard pour lire, et que nous aurions accès à sa propriété jusqu'à 23 h 30 environ. Il nous rappela également que, bien que ravi de pouvoir nous accommoder, il préférait qu'un seul membre de l'équipe entre dans le caveau. La raison invoquée était qu'il y entreposait tout son gréement de pêche et qu'une bonne partie de cet équipement était très vieux et peut-être de grande valeur. Je lui ai répondu que j'étais celui qui enquêterait dans le caveau et que je ne toucherais pas à ses possessions.

Mais, aussi sceptique que puisse être le propriétaire concernant les fantômes en général, il avoua être plus qu'un peu curieux de voir si notre recherche fournirait des preuves solides d'activité paranormale sur sa propriété. Il ajouta que la porte du caveau n'était pas verrouillée et que, si nous avions besoin de quoi que ce soit, il serait dans la maison, faisant de son mieux pour ne pas nous déranger.

C'est alors que nous sommes partis, chacun de son côté, mes coéquipiers et moi. Même si notre mode opératoire habituel consistait à former un cercle et à centrer nos esprits, nos intelligences et nos corps avant d'entamer une enquête, nous avions décidé à l'avance que j'effectuerais ce rituel séparément, de manière à ne pas interférer avec les signatures énergétiques du reste de l'équipe. Autrement dit, nous ne voulions pas établir une signature énergétique d'ensemble, en tant qu'équipe, puis risquer de gâcher les choses en partant chacun de son côté. Une des principales croyances de WISP est que les entités d'un autre monde peuvent capter les modèles d'énergie humains de la même manière qu'un receveur capte les ondes radio. Essentiellement, établir une signature énergétique en équipe, pour ensuite nous séparer, aurait été comme changer de chaîne radiophonique pour ne capter que de l'électricité statique. WISP voulait donner à tout fantôme errant dans les alentours un signal clair vers lequel se diriger.

Laissant le reste de l'équipe derrière moi, j'ai fait le tour vers l'arrière de la maison et j'ai jeté un œil au fond du caveau. J'étais parfaitement conscient qu'à moins de trois mètres de mon point d'observation avaient été découverts les corps carbonisés d'une femme décapitée et de trois enfants : Myrtle, Lucy et Phillip. WISP était sur la scène de l'un des crimes les plus horribles de toute l'histoire américaine.

J'ai allumé ma lampe de poche et j'ai éclairé le caveau. Il n'y avait pas d'éclairage électrique dans ce trou et, à en juger par le peu que je pouvais voir, le caveau était très rustique avec son plancher en terre battue. L'équipe avait apporté des caméscopes pour l'enquête, mais je n'avais pas voulu en apporter un dans le caveau. Nos caméras étaient uniquement équipées de lampes infrarouges (IR) installées en atelier, et ce genre d'éclairage serait totalement inutile dans un espace aussi sombre. Sam avait augmenté la force des lampes de nos caméras infrarouges, mais il n'avait pas pu concevoir une source d'électricité qui ne soit pas trop lourde pour être transportée sans effort. Le reste de l'équipe aurait plus de succès avec les caméras au-dehors, où il y avait au moins un peu de lumière naturelle.

En mettant le pied dans le caveau, j'ai tout de suite senti mon cœur bondir dans ma poitrine. M'immobilisant, j'ai fermé les yeux et j'ai fait le vide. J'ai centré ma tête et mon esprit. J'ai pris une longue respiration, une respiration pour me nettoyer l'esprit, puis j'ai ouvert les yeux et j'ai continué à descendre. Mes vieilles semelles usées crissaient sous mes pieds. Là-haut, dans le noir, les autres membres de l'équipe tentaient de trouver des tombes sans inscription.

LES FANTÔMES DU SOUVENIR

Pendant que je descendais les marches du caveau, Sam, Becca et Amber cherchaient les endroits les plus propices à la communication avec les fantômes, en se servant d'un outil et d'une méthode très inhabituels de nos jours : ils utilisaient une baguette divinatoire (également appelée *baguette de sourcier*) pour trouver les tombes des victimes de Belle qui n'avaient jamais été retrouvées. Leur baguette avait été fabriquée à partir d'une branche d'arbre en forme de Y recueillie sur le site. Après avoir trouvé la branche, Sam, Becca et Amber avaient utilisé leurs dons de magiciens pour charger la baguette divinatoire en lui insufflant l'intention désirée. Dans ce cas, l'intention était de localiser les fosses des victimes de Belle.

Une baguette fonctionne en attirant (certains devins croient que cela se fait par magnétisme) la personne qui la tient vers la source désirée. Une fois la source détectée, il n'est pas rare que la baguette se mette à vibrer doucement dans les mains de l'utilisateur, lui indiquant qu'il est arrivé à destination. Becca avait été choisie pour être la première à se servir de ce fascinant outil, et au bout de quelques secondes à peine, elle eut la sensation de se faire tirer par la baguette. Le problème, c'était que la baguette l'attirait dans plusieurs directions à la fois ; elle en déduisit que les restes de plusieurs victimes de Belle étaient dispersés un peu partout sur la propriété, dans des fosses inconnues.

Marchant vers l'endroit où la baguette tirait le plus fort, Becca se retrouva aux limites arrière de la propriété, ses coéquipiers sur les talons. Sam et Amber utilisèrent leurs enregistreurs audionumériques pour poser des questions aux fantômes et recueillir des PVE. Atteignant la ligne clôturée aux limites de la propriété, Becca continua de balayer les lieux à l'aide de sa baguette divinatoire.

C'est alors que s'est produite une chose remarquable et assez troublante. Becca avait noté que chaque fois qu'elle sentait que la baguette tirait très fort, un carillon éolien en bambou suspendu à un arbre se mettait à tinter – un tintement qui n'était pas causé par le vent. Il n'y avait pas la plus petite brise ce soir-là. Pendant que Becca, Sam et Amber enquêtaient sur cet étrange phénomène et installaient leurs caméscopes, j'étais dans le caveau et les fantômes faisaient tout pour se faire remarquer.

LA PRÉSENCE DANS LE CAVEAU

Il y avait dans le caveau un air glacial que je ne pouvais mettre sur le compte de la terre froide et humide. Un air glacial qui vous traversait jusqu'aux os : ce grand frisson que vous ressentez en présence de quelque chose de vieux, quelque chose qui n'est pas de ce monde. Me frayant un chemin jusqu'au mur du fond, je me suis assis dans le coin, éclairé uniquement par la douce lumière orangée émanant de l'enregistreur numérique attaché à mon bras. Mes sens étaient aiguisés par l'adrénaline, et je m'en suis servi à mon avantage. Chaque bruit était vivant, chaque odeur intense et nouvelle. Je me suis installé dans cet espace noir et claustrophobe, en leur laissant savoir que je ne leur voulais aucun mal et que je souhaitais seulement communiquer avec eux.

L'instant d'après, la sensation d'une présence invisible est venue de nulle part et s'est intensifiée peu à peu. Mon attention était à son comble. J'ai tourné la tête et j'ai tendu l'oreille. J'ai entendu remuer, puis des bruits de pas étouffés sur le sol en terre battue.

Y avait-il une personne vivante dans le caveau avec moi? C'était improbable. J'aurais certainement entendu quelqu'un descendre les marches qui craquaient, et le propriétaire nous avait affirmé qu'il n'avait pas d'enfants et que sa femme était décédée plusieurs années plus tôt. Mais pour m'en assurer, j'ai allumé ma lampe de poche et j'ai scruté le caveau à la recherche du moindre signe de vie. Rien. J'ai éteint. Le bruit a repris presque aussitôt. Durant les pauses entre les bruits, j'ai commencé à entendre murmurer. Je ne pouvais pas distinguer les paroles prononcées, mais c'était assurément une voix masculine. Un jeune homme.

J'ai demandé : « Phillip, est-ce toi? » pour appeler le fils de Belle, qui avait été retrouvé mort le jour où Ray Lamphere avait incendié la maison d'origine jusqu'au sol.

Pas de réponse audible. Pour rester centré, j'ai pris une autre profonde respiration, et les senteurs musquées de la terre et du vieux bois ont rempli mes poumons. Je pouvais presque les goûter sur ma langue. J'ai tendu mes sens et mon troisième œil. L'ancienne maison de Belle, qui était à moins de 3 m de l'endroit où je me trouvais, me semblait vide, comme si l'histoire elle-même avait abandonné l'horreur de ce qui s'était produit là un siècle plus tôt. Mais le caveau était lourd du poids du passé. Il y avait une présence jeune ici. Je pouvais sentir son innocence. Aussi étrange que cela puisse paraître, la présence semblait enjouée.

J'ai rallumé ma lampe de poche et j'ai regardé autour de moi. J'ai alors remarqué qu'une vieille paire de bottes de pêcheur, qui traînait près de l'escalier, avait été déplacée. Je peux affirmer qu'elles avaient été déplacées, parce que j'avais failli trébucher dessus en arrivant en bas de l'escalier. J'avais mentalement noté où elles étaient, afin de ne pas trébucher dessus en sortant.

Je me suis relevé et je m'apprêtais à examiner les bottes, lorsque tout à coup j'ai entendu un bruit à l'autre bout du caveau. Pointant ma lampe de poche dans cette direction, j'ai vu un support vertical rempli de vieilles cannes à pêche et d'autres agrès. Trois des cannes à pêche vibraient comme sous l'effet d'un tremblement de terre. Les vibrations ont duré au moins 30 secondes ; puis, tandis que j'observais la scène, toutes les cannes à pêche se sont redressées, l'une après l'autre, sur le support, puis sont tombées par terre. Maintenant, j'entendais le ricanement d'un enfant. Il y avait un esprit tapageur dans le caveau avec moi. J'en étais convaincu.

L'activité de l'esprit tapageur expliquait aussi les étranges va-et-vient dont m'avait parlé le propriétaire. Tout le monde sait que les esprits tapageurs aiment s'agiter et dérober des objets pour le plaisir. Ils sont également reconnus pour être plus agaçants que dangereux, si bien que j'étais plus intrigué qu'effrayé par l'activité dans le caveau. Pour le moment. Car tout cela était sur le point de changer.

Venue de nulle part, une forte senteur a soudain envahi le caveau. C'était l'odeur caractéristique de la décomposition et de la mort. La première fois que j'avais senti l'odeur de la mort, j'étais un petit garçon de pas plus de six ou sept ans et c'était durant une visite à l'hôpital. Ma grand-mère nous avait emmenés à l'hôpital, ma sœur et moi, après la mort de tante Josie. Puis elle nous avait laissés dans la chambre avec la dépouille, pour aller converser avec le médecin de Josie. Ce jour-là, la senteur de la mort avait laissé sa marque indélébile dans ma mémoire.

L'odeur dans le caveau ressemblait beaucoup à celle que nous avions sentie dans cette chambre d'hôpital. Mais ici, elle était beaucoup plus poignante. Elle était si intense, en fait, que j'en avais des larmes aux yeux et des picotements dans les narines. Ce parfum fétide me montait à la gorge et me donnait la nausée. J'ai couru vers l'escalier. Mon estomac commençait à tourner, et j'étais sûr de vomir si je ne sortais pas du caveau immédiatement. Pendant que j'avançais vers l'escalier, le rayon de ma lampe de poche montra une noirceur encore plus dense que les ténèbres. L'obscurité s'intensifia puis se répandit sur les murs. Pendant ce temps, je sentais une présence enfantine tapie dans le caveau. Quoi qu'ait pu être cette noirceur, il était évident qu'elle avait effrayé l'esprit tapageur. Je me suis posé la question : *Devrais-je avoir peur moi aussi ?*

Pendant que j'y réfléchissais, la noirceur s'est lentement déplacée sur moi. Accompagnée de l'odeur de la mort. Sans le soutien de mon équipe, je savais que le temps était venu pour moi de sortir de là. Quelle que soit la chose qui se cachait dans le caveau, elle était puissante et n'était pas de ce monde. Il en allait de ma sécurité.

En arrivant au bas de l'escalier, j'ai prudemment mis le pied sur la première marche et j'ai commencé à monter. Arrivé à peu près au milieu, j'ai senti quelque chose me frapper très durement au milieu du dos. Quelque chose de puissant. Cela m'a foutu la trouille. J'avais les jambes comme du coton. Je suis tombé par en avant, et mon genou droit a heurté violemment une des marches. J'ai poussé un cri de douleur. Ma lampe de poche et mon enregistreur numérique me sont tombés des mains et ont atterri sous l'escalier, sur le sol en terre battue.

PASSÉ ET PRÉSENT ENTREMÊLÉS

Dehors, sur le terrain, Sam, Becca et Amber avaient fait une intéressante découverte. Sam avait suivi Becca avec son détecteur de EMF (champ électromagnétique), car la baguette lui avait fait faire le tour de la propriété. Il avait remarqué que chaque fois que Becca se sentait tirée par la baguette, le détecteur de EMF enregistrait la présence d'un puissant champ électromagnétique à proximité.

De nombreux chasseurs de fantômes, amateurs autant que professionnels, sont convaincus que la présence de EMF que l'on ne peut associer à une source d'électricité, comme une ligne à haute tension ou une lampe indique la présence d'une entité non biologique (ENB). Bien que le détecteur de EMF soit un outil intéressant, les membres de WISP ne s'entendent pas sur la question de savoir si un vrai EMF signale la présence d'un fantôme. WISP croit que les champs électromagnétiques sont seulement une infime partie du puzzle paranormal et, ces derniers temps, Sam a travaillé très dur pour concevoir un détecteur multichamp capable d'enregistrer non seulement les EMF, mais aussi la vibration atmosphérique, la densité de l'air, la température et les champs à bande ultra large utilisant un ensemble de capteurs électro-optiques.

Quoi qu'il en soit, l'équipe se demandait si le détecteur de EMF de Sam et la baguette divinatoire de Becca enregistraient tous les deux les fantômes des victimes de Belle Gunness. Becca ayant indiqué à Sam et Amber l'endroit où l'attraction de sa baguette divinatoire était la plus forte, mes coéquipiers en déduisirent qu'ils étaient très près de la partie de la propriété où la porcherie de Belle avait dû se trouver autrefois. De nombreux experts de Gunness croient qu'elle avait jeté aux cochons des membres de certaines de ses victimes, afin de se débarrasser des corps. L'ancien site de la porcherie nous semblait donc être celui où nous aurions une chance de trouver les fantômes des victimes de Belle.

Pendant que l'équipe enquêtait à l'extérieur, autour de la porcherie, j'étais seul dans le caveau, aux prises avec une entité qui n'était pas de notre monde.

SEUL DANS LE NOIR

J'étais déterminé à récupérer ma lampe de poche et mon enregistreur numérique. Le problème, c'est qu'il fallait que j'aille les ramasser derrière les marches. De toute évidence, cette chose qui était dans le caveau avec moi était en colère et capable de manifester une énorme force physique sur le plan terrestre.

J'étais tout fin seul dans le noir, en compagnie d'une entité malveillante. Les odeurs de décomposition et de mort s'étaient encore intensifiées. Seulement une minute plus tôt, j'aurais parié que c'était impossible, mais l'air devenait irrespirable. Je n'avais pas beaucoup de temps. Soit je sortais du caveau, soit je ripostais. J'en avais assez de me faire bousculer par des fantômes. J'ai posé la main sur mon couteau rituel. Ce couteau, qui n'est pas destiné à couper quoi que ce soit sur le plan terrestre, était l'outil métaphysique que j'emportais toujours avec moi durant une enquête. Il était très vieux et chargé de grands pouvoirs. À plusieurs reprises par le passé, je m'en étais servi avec succès pour repousser des esprits nuisibles, mais jamais pour affronter une force aussi puissante que celle qui me menaçait en ce moment. Un simple couteau allait-il fonctionner contre une telle force? Je l'ignorais, mais j'étais bien décidé à tenter le coup.

Tâtonnant avec ma main tremblante, j'ai réussi à sortir la lame de son étui en cuir du premier coup. J'ai brandi le couteau devant moi en le balançant d'un côté à l'autre dans le noir. Au premier mouvement, j'ai senti que la force invisible reculait, ne serait-ce qu'un peu. «Va-t-en tout de suite, ai-je lancé d'une voix ferme, en défiant la présence de se confronter à mon propre pouvoir, ou je ferai tout pour avoir raison de toi. »

J'ai aussitôt senti un changement dans le modèle énergétique provenant de la présence invisible. La présence s'est avancée vers moi comme pour me braver, puis s'est retirée au fond du caveau. J'ai senti le même changement à plusieurs reprises. Brandissant mon couteau devant moi, j'ai descendu une marche très lentement, en utilisant son pouvoir comme repoussoir. J'ai senti que la présence reculait encore plus loin au fond du caveau. Très vite, je n'ai plus senti la présence de l'entité.

Ayant atteint le bas des marches, j'ai contourné l'escalier et me suis mis à quatre pattes pour tâter le sol avec ma main libre. J'ai retrouvé ma lampe de poche, l'ai allumée, et ai scruté le caveau. Rien. L'affreuse odeur elle-même avait commencé à se dissiper. Mais je savais que je n'étais pas au bout de mes peines. En tout cas, pas tout fin seul dans le caveau sans le reste de mon équipe.

J'ai pointé le faisceau lumineux sur le sol à mes pieds et j'ai vu mon enregistreur. D'un geste vif, je l'ai ramassé et l'ai remis dans ma poche. Jetant un dernier coup d'œil autour de moi, j'étais content d'avoir réussi à chasser l'entité invisible, ne serait-ce que pour l'instant, mais je savais qu'une force aussi puissante pourrait facilement revenir si elle le voulait. Je suis remonté en courant pour aller rejoindre mon équipe.

LA CONVERGENCE

Ils étaient toujours aux limites arrière de la propriété. Les ayant rejoints, j'ai découvert qu'en approchant de la bauge à cochons de Belle, ils avaient senti les mêmes odeurs de décomposition et de mort que j'avais senties dans le caveau. Comme ils étaient dehors, au grand air, ils avaient pu la tolérer beaucoup plus long-temps que moi.

J'ai également appris qu'ils avaient eux aussi senti une puissante présence invisible, mais contrairement à moi, aucun d'eux n'avait été physiquement touché par la présence. Balayant la porcherie avec son détecteur de EMF et son thermomètre numérique à infrarouge, Sam avait localisé de multiples poches d'air froid juste à la surface du terrain, dont quelques-unes bien en deçà de -1 °C. Fait intéressant, il avait réussi à localiser les poches en balayant la parcelle de terre où la baguette divinatoire avait attiré Becca. Sam et Becca avaient réussi à enregistrer dans ces coins en se servant d'outils très différents. Mais il n'y avait aucune explication terrestre à ces poches d'air froid. Pour l'équipe WISP, elles pouvaient signaler la présence de fantômes et/ou de vortex menant à un autre monde ou provenant d'un autre monde.

Après que je leur aie raconté ce qui m'était arrivé dans le caveau, mes coéquipiers ont suggéré de demander au propriétaire de la maison s'il accepterait que Sam m'accompagne dans le caveau avec son équipement. L'équipe voulait savoir si des poches de froid similaires étaient également présentes dans le caveau. Becca et Amber nous avaient assuré qu'elles se débrouilleraient très bien seules ; elles avaient d'ailleurs des expérimentations métaphysiques et scientifiques à effectuer sur le site de la porcherie. L'idée me paraissait bonne, et je leur ai dit que je devais de toute façon lui parler du désordre dans son gréement de pêche. Même si les fantômes (pas moi !) avaient fait basculer l'équipement, c'était une enquête de WISP, et il nous revenait de rembourser le propriétaire pour les dommages encourus.

Malheureusement, avant que nous ayons pu parler au propriétaire, mère nature avait décidé de se venger. Nous étions toujours près de la bauge où Belle avait perpétré ses horribles crimes, quand l'air est devenu saturé du bruit des grillons et de l'odeur de la pluie qui approchait. Nous pouvions voir d'immenses nuages noirs gonfler le ciel nocturne. Puis le vent s'est mis de la partie et le firmament a laissé échapper éclairs et coups de tonnerre. Il fallait que nous mettions nos caméras et tout notre matériel à l'abri dans la fourgonnette sans perdre une minute, au risque de ruiner un équipement de grande valeur. Nous avons fait le tour du terrain au plus vite, afin de récupérer tous nos instruments. Nous avons pu mettre tous nos effets à l'abri dans la fourgonnette juste avant que la pluie ne se mette à tomber en trombe.

L'équipe et l'équipement bien en sécurité dans la fourgonnette, j'ai couru jusqu'à la maison et j'ai frappé à la porte. Le propriétaire m'a accueilli avec un sourire. « Je vois que tu es trempé, mon garçon », m'a-t-il dit.

Lui rendant son sourire, j'ai répondu qu'en effet les choses étaient un peu détrempées depuis une quinzaine de minutes. Sans jamais mentionner les fantômes, je lui ai raconté ce qui était arrivé à son équipement de pêche et lui ai dit que je me ferais un plaisir de payer pour les dommages encourus. Là-dessus, il m'a assuré qu'il lui était arrivé plus d'une fois de descendre dans le caveau et de trouver son attirail en désordre. Il a ajouté qu'il était sûr que son gréement serait « en bon état ». Je l'ai remercié pour sa gentillesse et son hospitalité, lui ai dit que nous le tiendrions informé si nous trouvions des preuves d'activité paranormale sur sa propriété, puis je suis retourné à la fourgonnette au pas de course.

Ayant rejoint mes coéquipiers, nous nous sommes tous dits enchantés de l'expérience et consternés que l'enquête ait pris fin aussi abruptement.

Mais l'enquête sur Belle Gunness et ses horribles crimes était loin d'être terminée. À moins de sept kilomètres de l'endroit où nous étions, il y avait le cimetière où plusieurs des victimes de Belle avaient été enterrées, dont sa dernière victime connue, mais non la moindre, Andrew Helgelien.

La suite logique de notre entreprise était donc d'aller enquêter dans le cimetière, aujourd'hui appelé cimetière Patton. Malgré la possibilité que WISP puisse retourner enquêter sur l'ancienne propriété de Belle Gunness un peu plus tard, nous devions pour l'instant trouver d'autres avenues. La tête pleine de questions concernant ce que nous avions découvert durant notre enquête sur l'ancienne ferme de Belle Gunness, nous sommes rentrés et avons commencé à trier les preuves que nous avions amassées.

LES PREUVES

Preuves photographiques : Aucune preuve concluante d'activité paranormale n'a été captée par les caméras ou les caméscopes durant notre enquête. Cependant, WISP a pu utiliser un thermomètre à infrarouge pour documenter les poches d'air froid à l'endroit qui avait servi de porcherie à Belle, comme preuve d'activité paranormale.

Preuves audio : De multiples PVE ont été enregistrés durant l'enquête. Toutefois, plusieurs des PVE recueillis étaient de piètre qualité et ne peuvent donc pas être consignés comme étant d'origine paranormale. Nous transcrivons ci-après les descriptions des PVE qui étaient d'assez bonne qualité pour être soumis comme preuves.

LES PVE DE BELLE GUNNESS, PAR ORDRE CHRONOLOGIQUE DE CAPTATION

1. Après que l'enquêteur ait demandé « Phillip, est-ce toi ? », une voix désincarnée de jeune garçon répète le nom « Phillip », puis continue en disant « Jouons ». Ces PVE ont été captés dans le caveau.

2. Les ricanements d'un jeune esprit tapageur masculin ont été captés sur un enregistreur numérique, suivis par la voix désincarnée d'une femme adulte furieuse qui lance sur un ton hargneux : « Sors tout de suite ! ». Ces PVE ont été enregistrés quelques secondes avant que la présence invisible ne me frappe dans le dos tandis que je montais les marches, et ne fasse tomber les instruments de mes mains. Les PVE ont également été captés dans le caveau.

3. De nombreux gémissements ont été captés sur enregistreur près du site de la porcherie de Belle. Ces gémissements donnent l'impression de plusieurs personnes pleurant

simultanément, un peu comme ce que l'on pourrait entendre à des funérailles.

4. Une seule voix masculine anormale a été captée près de la bauge à cochons, disant : « Tous morts ici. Tous morts. »

CONCLUSION

L'enquête sur la propriété de Belle Gunness nous a donné un aperçu fascinant du monde paranormal. L'équipe WISP tient à remercier le propriétaire (où qu'il soit) une fois encore pour son hospitalité et pour nous avoir permis d'entrer sur sa propriété afin d'y enquêter sur un épisode aussi brutal et sanglant de l'histoire américaine. Même si les membres de WISP ont fait des expériences paranormales personnelles durant l'enquête, moi le premier, nous ne disposons pas de preuves tangibles et incontestables à l'appui de ces expériences. Cependant, combiné aux preuves solides que nous avons *été capables* de recueillir, WISP a pu établir que les expériences personnelles coïncidaient précisément avec l'activité paranormale qui se produisait sur la propriété de Gunness durant l'enquête. Les preuves et nos expériences se confirment mutuellement.

Sur une note personnelle, je vous dirai que la présence qui m'a attaqué au fond du caveau était sans doute la plus noire et la plus puissante entité d'un autre monde que j'aie jamais rencontrée. La force physique brute que l'entité a pu déployer sur le plan terrestre était ahurissante en ce qui a trait à son pouvoir et à ses implications. À mon avis, une telle force peut seulement naître du mal, le genre de mal que Belle Gunness a exercé avec une froide précision au cours de son règne sanglant à La Porte, Indiana, au début du 20e siècle.

CHAPITRE 2

LE CHEMIN RUMLEY : LE CIMETIÈRE PATTON ET LES VICTIMES DE L'HORREUR GUNNESS

Enquête : cimetière Patton

Date du début : 13 juillet 2006

Lieu : La Porte, Indiana

RECHERCHE ET DÉCOUVERTE[3]

L'enquête paranormale sur la meurtrière Belle Gunness étant terminée, WISP avait prévu d'enquêter ensuite dans le cimetière Patton, où nous voulions tenter d'entrer en communication avec les fantômes de quelques-unes des victimes connues de Belle. Andrew Helgelien et Jennie Olson (fille adoptive de Belle), deux victimes de l'horreur de la ferme sanglante, ont été inhumés dans le cimetière Patton. Peter Gunness, le deuxième mari de Belle (qui, selon plusieurs, aurait été assassiné par Belle en étant frappé à la tête avec un hachoir à viande), serait également enterré dans la terre bénite du cimetière.

L'équipe WISP décida de commencer par faire le tour du cimetière Patton en plein jour, afin d'en connaître la disposition et de localiser les tombes de Helgelien, Olson et Peter Gunness. Nous avions dépassé le chemin McClung, en route vers le cimetière,

---

3. En guise de source historique pour ce chapitre, nous avons consulté la page sur le cimetière Patton, sur le site web du Cemetery and Research Association du comté de La Porte, Indiana (www.dunelady.com/laporte/cemeteries/patton/patton.htm), mis à jour par D. West et incluant des renseignements fournis par Patricia Gruse Harris.

lorsque deux membres de l'équipe se sont dits inquiets de l'aspect paranormal de l'enquête du cimetière Patton, en tentant d'entrer en communication avec les fantômes des victimes de meurtres. Mais, après en avoir discuté, nous avons convenu que l'enquête était trop fascinante pour que nous y renoncions, et que nous serions capables d'affronter n'importe quel genre de contact avec des esprits difficiles.

En approchant du cimetière Patton en plein jour, la première chose que nous avons remarquée a été le phénomène visuel bizarre créé par deux rangées de grands pins bordant l'entrée. À deux rues de là, l'entrée du cimetière donne l'impression d'un immense vortex prêt à aspirer tout passant sans méfiance. La deuxième chose qui nous saute aux yeux, c'est que le cimetière est immense. Cela n'allait pas être une mince tâche de retrouver les tombes de Jennie Olson, Peter Gunness et Andrew Helgelien.

Au mieux, le plan du cimetière Patton est déroutant. (J'ai lu des rapports d'enquêteurs du paranormal qui s'étaient perdus en essayant de sortir du cimetière à la tombée de la nuit). Le cimetière compte 19 sections ou plus, dont plusieurs portent des noms comme le Jardin de méditation, le Jardin du souvenir, le Jardin de la dévotion et le Jardin des bénédictions. D'après une liste des sépultures en ligne, Jennie Olson et Andrew Helgelien occupaient les tombes 8 et 9 de ce que l'on appelle la section galerie, mais même avec un plan détaillé, il nous a fallu plus de 30 min pour localiser la section galerie et un autre 15 min pour retrouver les tombes. La tombe d'Andrew Helgelien semblait avoir été vandalisée. Sa pierre tombale était tombée à la renverse.

LA TOMBE D'ANDREW HELGELIEN

Lors de la première visite de l'équipe WISP, un nombre anormal de pierres tombales étaient à la renverse dans le cimetière Patton. En voyant les dégâts, je me suis rappelé avoir lu un article dans

Internet sur une légende locale relatant qu'une pierre tombale particulière se faisait renverser dans le cimetière Patton. La légende laissait entendre qu'en renversant sa pierre tombale, vous incitiez le fantôme qui y résidait à apparaître et à se lancer à votre poursuite, et je me suis demandé s'il n'y avait pas un lien entre cette légende et le grand nombre de tombes vandalisées. La pierre tombale d'Andrew était par terre et, heureusement pour nous, l'inscription était sur le dessus. Si l'inscription avait été face contre terre, nous n'aurions sans doute jamais retrouvé sa tombe. L'épitaphe que l'on peut lire sur la pierre tombale d'Andrew donne la chair de poule.

Andrew K. Helgelien
1859-1908
Dernière victime de
l'horreur Gunness
Restes découverts par son frère
Asle K. Helgelien
8 mai 1908
Repose en paix

Mon premier réflexe a été de redresser la pierre tombale d'Andrew, mais elle était beaucoup trop lourde. Incapable de remettre la pierre sur son socle, je me suis agenouillé à côté, j'ai fermé les yeux et j'ai posé ma main sur sa tombe. J'ai imaginé à quoi avait pu ressembler la dernière nuit d'Andrew sur terre, une nuit passée en compagnie d'une froide meurtrière. Je me demandais s'il avait su qu'il allait mourir, où s'il avait reçu le coup fatal sans le voir venir. Je n'arrêtais pas de me demander si Belle Gunness avait pris plaisir à torturer ses victimes avant de les assassiner.

D'après notre registre des enterrements, les tombes de Jennie Olson et de Peter Gunness se trouvaient tout près de celle d'Andrew. Mais aucune des tombes adjacentes ne semblait appartenir à Jennie ou à Peter. Il y avait plusieurs pierres tombales avec des inscriptions illisibles dans la section galerie, mais aucune n'était près de celle d'Andrew Helgelien. Soit la liste était erronée, soit les pierres tombales avaient disparu.

J'ai suggéré à mes coéquipiers que Jennie avait peut-être été enterrée à côté d'Andrew, sans que jamais rien n'ait marqué la présence de sa tombe. Jennie Olson était la fille adoptive de Belle, et Belle étant morte ou disparue, Jennie avait fort probablement été inhumée par l'État de l'Indiana, sans cérémonie et sans argent, une fin fort triste pour la victime d'un crime aussi horrible. La disparition de la tombe de Peter Gunness était un mystère, mais nous avons déduit, d'après les registres des inhumations, que la tombe de Peter Gunness devait être tout près de celle d'Andrew Helgelien.

En avril 2008, les tombes de Jennie Olson et Peter Gunness ont eu droit à des pierres tombales pour la première fois depuis un siècle. Comme WISP l'avait deviné, leurs tombes étaient adjacentes à celle d'Andrew Helgelien. Une pierre tombale a également été érigée à la mémoire des victimes non identifiées des meurtres Gunness.

Nous avions ensuite prévu de faire un tour complet du reste du cimetière, de manière à ne pas perdre nos repères à la nuit tombée. La disposition en demi-cercle du cimetière Patton nous permettait de repérer des lieux clés et de les marquer sur notre plan. Nous avons bientôt su que nous pourrions nous y retrouver dans le cimetière Patton à la noirceur.

Après avoir pris quelques photographies, nous avons quitté le cimetière et sommes rentrés à notre base d'opérations afin de planifier notre incursion nocturne. J'avais déjà obtenu, du service de police de La Porte, la permission d'entrer dans le cimetière Patton après la fermeture, si bien que tout ce qui nous restait à faire, c'était de préparer nos têtes, nos esprits et notre matériel, et d'attendre qu'il fasse nuit. À ce que je sache, d'autres avaient déjà mené des enquêtes paranormales au cimetière Patton avant nous, mais personne n'avait fourni une preuve irréfutable qu'il y avait de l'activité surnaturelle. Étions-nous en train de perdre notre temps? Ou bien notre présence inciterait-elle les esprits du cimetière Patton à sortir et à jouer le jeu?

LE CIMETIÈRE PATTON AU CRÉPUSCULE

Une fébrilité muette nous avait envahis tandis que nous préparions notre équipement et que nous nous apprêtions à cette nuit d'investigation. Mon instinct me disait que nous trouverions des preuves irréfutables d'activité paranormale. J'avais hâte d'entreprendre cette mission. WISP venait d'acquérir deux nouveaux caméscopes numériques qui incorporaient la technologie infrarouge. Cette soirée allait être notre premier test sur le terrain. Nous venions aussi de développer quelques techniques métaphysiques inédites pour les enquêtes paranormales et nous nous proposions de les mettre à l'essai ce soir-là.

Après une dernière vérification de l'équipement, l'équipe WISP a pris la route de La Porte et des fantômes du cimetière Patton. Pendant que nous roulions vers notre destination, des feux d'artifice ont illuminé l'horizon. Nous étions presque à la fin du mois de juillet, mais les célébrations de cette année ne semblaient pas vouloir prendre fin.

Après 20 min de route environ, nous avons réalisé que notre équipe comptait un nouveau membre. Il y avait une présence fantomatique dans la fourgonnette. Becca avait senti une paire de mains invisibles effleurer son visage puis ses cheveux; Sam avait senti quelque chose se frotter à lui. Il semblait bien qu'une créature invisible était montée à bord chez moi, où se trouve notre base d'opérations. Becca et Amber étaient excitées par cette présence paranormale. «C'est une chance inouïe quand un esprit actif se joint à nous lors d'une enquête», se félicitait Becca.

Mais je n'étais pas aussi enthousiaste. Chance inouïe ou pas, permettre à un esprit de nous accompagner signifiait seulement une chose pour moi : cela allait contaminer l'enquête. Si nous lui permettions de nous accompagner, nous ne pourrions pas faire la part des choses entre l'activité paranormale indigène du cimetière Patton et l'activité engendrée par l'esprit que nous avions fait monter avec nous. Les preuves amassées au cimetière Patton seraient inutilisables.

J'ai demandé à Becca et à Amber d'exorciser l'esprit, mais Amber nous a fait une proposition intéressante. Pourquoi ne pas enfermer l'esprit dans la fourgonnette au lieu de l'en expulser ? « Le fait d'être en présence d'un esprit, a-t-elle argué, nous donnait une rare occasion de procéder à une étude scientifique et métaphysique. » Elle voulait voir si l'esprit réagirait à l'enquête, et comment.

J'ai accepté à contrecoeur, mais après en avoir longuement discuté, nous avons décidé de renoncer à la contention. C'était une mauvaise idée d'essayer d'emprisonner une entité dont nous ne savions rien. Quel sort allait-elle réserver à l'intérieur de ma fourgonnette ?

Nous approchions de La Porte lorsque des éclairs de lumière illuminèrent le ciel de nouveau, mais cette fois, c'étaient de vrais éclairs électriques. La tempête grondait, et nous n'y pouvions rien. Notre enquête allait tomber à l'eau de plus d'une manière. Je songeais à faire demi-tour et à remettre l'enquête à plus tard, mais mes coéquipiers m'encourageaient à continuer. Nous étions encore à des kilomètres du cimetière, et ils étaient convaincus que la tempête serait passée à notre arrivée. Finalement, ils avaient raison.

Même si la pluie était forte au centre-ville de La Porte, le temps d'arriver au cimetière Patton, l'averse n'était plus qu'un fin crachin. Il y avait des trous dans les nuages, et la vue d'étoiles scintillantes nous emplissait d'espoir. J'ai conduit la fourgonnette jusque dans la section galerie et me suis garé près de la tombe d'Andrew Helgelien.

C'est à ce moment-là que notre auto-stoppeur fantôme s'est manifesté à moi. Je venais de couper le moteur quand j'ai commencé à entendre murmurer. J'ai allumé les lampes à l'intérieur du véhicule et j'ai demandé à mes coéquipiers : « Qui est-ce qui murmure ? Avez-vous entendu une voix ? » Ils ont répondu non à mes deux questions. J'ai demandé à Becca de sortir mon caméscope numérique du sac contenant notre matériel, car je voulais enregistrer la voix sur bande audio. Puis j'ai dit aux autres de préparer leur équipement. Après avoir enregistré une quantité suffisante de relevés audio à l'intérieur de la fourgonnette, nous sommes sortis de la voiture et avons franchi les quelques pas qui nous séparaient de la tombe d'Andrew.

Notre enquête nocturne du cimetière Patton avait officiellement commencé.

L'AVENTURE D'UNE TOMBE

En approchant de la tombe d'Andrew Helgelien, l'équipe WISP a vu qu'il y avait du nouveau : un vase de fleurs fraîches avait été déposé devant sa pierre tombale, qui était toujours à la renverse. Andrew était parti du Dakota du Sud pour aller vivre à La Porte avec Belle, et à notre connaissance, il n'avait aucun descendant vivant dans le nord de l'Indiana. Qui avait apporté des fleurs ?

Notre première préoccupation fut d'essayer d'établir un contact avec l'esprit d'Andrew (en assumant qu'il errait sur le terrain du cimetière) en nous servant de nos talents occultes. Je me suis agenouillé une seconde devant la tombe d'Andrew et j'ai mis ma main sur sa pierre tombale. La pierre était plutôt chaude, et je l'ai dit à mes coéquipiers. Sam a pris une lecture de la pierre tombale d'Andrew à l'aide de son thermomètre numérique. Il a enregistré un bon 27 °C de chaleur.

C'est à ce moment-là que j'ai perçu un mouvement du coin de l'œil. Me retournant pour mieux voir, j'ai aperçu une faible lueur, de la grosseur d'une balle de golf environ, flotter à quelques centimètres du sol, à un mètre de la tombe d'Andrew. Je l'ai observée un moment, puis j'ai tendu la main pour y toucher, mais la lumière a faibli avant de disparaître complètement.

Cette boule de lumière était-elle d'origine paranormale ? Aucun des instruments que nous utilisions à ce moment-là n'a été en mesure de reproduire le phénomène. Incapable de trouver une explication naturelle à cette boule de lumière, j'ai reporté mon attention sur la pierre tombale d'Andrew, qui avait été très chaude quelques secondes auparavant et, qui à présent, était froide comme la glace.

J'ai demandé à Sam de prendre une deuxième lecture avec son thermomètre numérique. La température de la pierre tombale était maintenant de 16 °C. J'ai demandé à mes coéquipiers de poser leurs mains à côté de la mienne sur la pierre tombale. Nous avons visualisé Andrew du mieux que nous le pouvions et lui avons parlé calmement, doucement. Amber lui a dit que nous étions venus là uniquement pour entrer en communication avec lui. « Nous ne vous voulons aucun mal », a-t-elle ajouté.

Quand Becca a dit : « Tout ce qu'il voulait, c'était trouver l'amour », je n'ai pas pu m'en empêcher, il fallait que je le dise : « … dans les pires endroits. » Notre affliction s'est transformée en rires. J'espérais qu'Andrew ait un bon sens de l'humour de son vivant et qu'il l'ait emporté avec lui dans la tombe.

Il nous fallait ensuite élever l'énergie dans l'espoir d'amincir le voile entre le monde des vivants et celui des morts, et persuader les fantômes du cimetière Patton de sortir de leur cachette. Nous avons donc formé un cercle autour de la tombe d'Andrew en nous tenant par la main, et nous nous sommes concentrés sur notre intention de communiquer avec lui. Nous nous sommes focalisés sur la communication ouverte avec les esprits résidants et sur la capacité de l'équipe de voir clairement au-delà de notre monde.

La méthode WISP pour élever l'énergie diffère des méthodes classiques utilisées par des praticiens occultes ordinaires. Alors que de nombreux groupes occultes augmentent l'énergie en chantant, en jouant du tambour ou en dansant en rond, WISP élève l'énergie en la recueillant intérieurement en tant qu'individus, puis en passant l'énergie à la personne suivante dans le cercle, où elle est encore augmentée avant d'être libérée. Autrement dit, chaque membre de WISP se focalise sur l'intention de rehausser l'énergie et recueille l'énergie en lui-même et, lorsque l'énergie individuelle atteint son paroxysme, il passe l'énergie au suivant par la force de sa volonté, en utilisant un serrement de main en guise de signal.

Dès que cette personne a reçu l'énergie, sa propre énergie est additionnée à la précédente avant d'être passée au suivant dans le cercle. Ce procédé se poursuit à une vitesse toujours plus grande (imaginez un accélérateur nucléaire), jusqu'à ce que l'on ait amassé la somme d'énergie désirée. Lorsque l'énergie du groupe est à son apogée, elle est relâchée pour faire ce qu'elle a à faire.

Après avoir accompli notre travail d'augmentation et d'expédition d'énergie, nous sommes partis vers le cœur du cimetière Patton. Nous pourchassions ses esprits résidants. Nous les avons trouvés très rapidement. Nous venions à peine de passer la première rangée de tombes qui forme la section centrale du cimetière, lorsque Becca a vu quelqu'un (ou quelque chose) marcher entre deux pierres tombales à quelques mètres devant elle. Elle a également entendu une voix. Elle a allumé sa lampe de poche et a couru vers les tombes pour voir ce qui s'y passait, mais ce qu'elle avait aperçu avait disparu. Nous avons soigneusement fouillé les environs, mais nous n'avons rien trouvé.

J'ai levé les yeux vers le ciel nocturne. « Oh, regardez, ai-je dit, la Grande Ourse. »

C'est à ce moment-là que les fantômes du cimetière Patton ont commencé à parler...

DES VOIX DANS LA NUIT

À la minute où j'ai parlé des étoiles, j'ai entendu des murmures quelque part derrière moi. Cherchant toujours à savoir ce qui bougeait dans le cimetière, le reste de l'équipe s'était déjà aventuré au-delà des premières rangées de tombes et était à au moins 30 mètres de moi ; j'étais donc à peu près certain que ce n'étaient pas leurs voix que j'entendais. Tandis que je marchais en direction de mes coéquipiers, les voix semblaient me suivre. J'ai arrêté de marcher et j'ai demandé aux esprits de me signaler leur présence. Ils ont répondu. J'ai entendu un bruit sourd comme si quelqu'un frappait le sol à mes pieds. J'ai allumé ma lampe de poche pour mieux observer les alentours. Ce faisant, une présence invisible est venue frôler mon épaule avec suffisamment de force pour me faire perdre l'équilibre.

En me redressant, j'ai entendu ce qui sonnait comme une grosse couverture mouillée que l'on aurait traînée sur le sol. Le bruit se déplaçait dans la direction de mes coéquipiers. Je me suis immobilisé un moment et j'ai écouté. Plus rien. Apparemment, l'activité n'était plus là où je m'étais arrêté. Je me suis empressé d'aller rejoindre mes coéquipiers et je n'ai nullement été surpris d'entendre Becca dire à Sam et à Amber qu'elle avait entendu un bruit qui faisait penser à un lourd vêtement que l'on aurait traîné par terre. Je leur ai raconté ce qui m'était arrivé et leur ai dit que nous devions être prêts à tout. Si les morts voulaient jouer, nous étions partants.

J'ai noté nos expériences sur mon enregistreur et j'ai conduit l'équipe dans la plus vieille section du cimetière Patton.

Nous avons passé les heures qui ont suivi à fouiller les quatre sections centrales du complexe funéraire Patton. Ces sections sont Lake View, les Plaines et les Pruniers, ainsi que Wayside Retreat, un espace semi-circulaire au cœur du cimetière. À part les voix, l'apparition que Becca avait cru voir en périphérie du cimetière et nos précédentes expériences personnelles, l'équipe n'avait pas grand-chose à rapporter. Becca et Amber étaient passées près de plusieurs tombes qui leur avaient donné des picotements dans le ventre lorsqu'elles s'en étaient approchées, mais rien d'autre.

Les sections plus anciennes du cimetière Patton avaient très peu à offrir en matière de sensations et d'impressions surnaturelles. Les arbres sinistres et les monuments datant de plusieurs siècles qui s'élevaient au-dessus de nos têtes étaient intéressants à regarder et stimulaient nos imaginations, mais nous sentions que leurs ombres ne cachaient rien de surnaturel. J'ai émis l'hypothèse que les fantômes dans cette partie du cimetière étaient peut-être « trop vieux et encroûtés pour communiquer », en ajoutant que nous aurions peut-être plus de chance dans une des nouvelles sections du cimetière. Mes coéquipiers étant d'accord, nous avons ramassé notre équipement et sommes repartis en direction de la fourgonnette. Sans que nous nous en doutions, les choses étaient sur le point de devenir passionnantes.

LES JARDINS DES MORTS

Même à la nuit noire, c'était un jeu d'enfant de distinguer les nouvelles sections du cimetière Patton des sections plus anciennes. Alors que ces dernières sont un vrai fouillis d'arbres, de tombes, de statues et de chemins de terre, les sections jardins, où se trouvent les nouvelles sépultures, sont des champs ouverts avec des pierres tombales modernes entourées de ruelles pavées. Lorsque nous sommes entrés dans le Jardin des dévotions, l'enquête a pris une tournure sinistre.

Nous avons tous senti, sans l'exprimer à haute voix, que ces sections du jardin semblaient différentes des anciennes sections, et cela n'avait rien de réconfortant. L'air y était plus lourd, les ombres plus menaçantes. Des croix à l'énergie solaire parsemaient le terrain et leurs lumières éclairaient les pierres tombales d'une lueur bleue lugubre. En outre, il semblait y avoir ici une présence menaçante.

Au lieu d'aller chacun de son côté à travers le cimetière, comme nous le faisons normalement dans nos enquêtes, nous nous sentions obligés d'arpenter les jardins deux par deux. Tout en veillant à rester à portée d'oreille du reste de l'équipe, Becca et moi nous sommes dirigés vers le Jardin de méditation pour y tourner une vidéo, pendant que Sam et Amber patrouillaient la périphérie du Jardin des souvenirs pas très loin de là. Nous ne sommes pas restés séparés très longtemps.

Becca venait à peine de commencer à filmer quand j'ai perçu un mouvement du coin de l'œil. Je suis resté calme et je lui ai indiqué discrètement les endroits où elle devait filmer, mais chaque fois que je lui faisais signe, le mouvement cessait et recommençait ailleurs. On aurait dit que la chose qui se déplaçait parmi les pierres tombales était consciente de la présence de la caméra et qu'elle se jouait de nous. J'allais suggérer à Becca de fixer la caméra sur un trépied et de ne pas s'en occuper pendant un moment, quand Amber nous a appelés.

DES ENTITÉS SPECTRALES DOMESTIQUÉES ?

Sam et Amber chassaient des chats en plus des fantômes. Ils avaient entendu un chat miauler à plusieurs reprises tout près d'eux, mais ils étaient incapables de le localiser. C'est alors que j'ai suggéré, sans grande conviction, que c'était peut-être un chat fantôme. Amber et moi sommes partis à la recherche de créatures spectrales. Lorsque Becca et Sam nous ont rejoints quelques minutes plus tard, ils n'avaient pas l'air très contents. Becca nous a raconté qu'ils avaient entendu un gros grognement directement dans leur dos, mais lorsqu'ils se sont retournés, il n'y avait rien. Tout au moins rien qui soit visible à l'œil nu. Même Sam, notre sceptique attitré, a affirmé que c'était le bruit le plus surnaturel qu'il ait jamais entendu. « Quelle que soit la créature qui a grondé à notre approche, elle n'était certainement pas de ce monde », a-t-il dit. Et l'expression que j'ai vue sur son visage a suffi à me donner la chair de poule.

Même si ni Amber ni moi n'avions entendu ce grognement, j'ai entendu des grognements surnaturels dans le passé et je peux vous dire que c'est terriblement perturbant. Personnellement, je ne crois pas qu'il existe des entités démoniaques dans le sens satanique du mot, mais j'en ai vu suffisamment pour savoir que tout ce qui grouille dans l'entre-deux mondes n'est pas nécessairement amical ni bien intentionné. Il y a, tapies dans d'autres mondes, des entités dont nous ferions bien de nous méfier.

Nous n'arrivions pas à localiser un chat, spectral ou autre. Il se faisait tard et nous parlions déjà de remballer notre matériel et de rentrer. Nous avions une heure et demie de route à faire pour rentrer à notre base d'opérations, et nous avions plusieurs heures audio et vidéo à analyser, sans mentionner des centaines de photographies numériques. J'étais sur le point de dire à l'équipe de ranger l'équipement, lorsque les morts ont recommencé à se manifester.

Becca et Amber étaient penchées sur une tombe pour humer un panier de fleurs fraîches, lorsqu'elles ont commencé à entendre des voix. Puis ce fut à notre tour, à Sam et à moi, d'entendre des voix. Nous gardions le silence pour écouter les bruits de la nuit. Les morts parlaient-ils vraiment ? La réponse était *oui*.

Bien que faibles, les voix étaient près – *tout* près. Il ne faisait aucun doute dans nos esprits que les voix étaient d'origine paranormale. Nous avons lentement arpenté les jardins des morts, en posant des questions aux fantômes, pour tenter d'enregistrer leurs voix. Nous sommes vite arrivés près de quelques tombes fraîchement creusées, et pendant qu'Amber lisait le nom de *Robert Boardman* à haute voix sur l'une des pierres tombales, quelque chose a répété le nom. J'ai soudainement entendu un faible grognement et le miaulement d'un chat. Le grognement et le miaulement ne ressemblaient à aucun son terrestre que j'avais entendu jusque-là.

Nous attirons trop l'attention sur nous, ai-je pensé en moi-même. *Nous attirons trop d'entités douteuses.* Je commençais à m'inquiéter pour la sécurité de l'équipe. Même si j'avais confiance en notre capacité de repousser n'importe quel esprit difficile, ce qui grognait me semblait glauque et en colère. J'avais l'impression que nous étions traqués. J'allais suggérer de tracer un cercle de protection autour de nous par mesure de prudence, lorsque soudain, l'air a semblé s'alléger et nous avons cessé de sentir la présence d'entités invisibles. Les entités avaient-elles deviné nos intentions et préféré fuir ?

Une des théories les plus populaires concernant les fantômes est qu'ils doivent tirer leur énergie à une autre source que la leur pour pouvoir se manifester et/ou communiquer verbalement. Quand WISP se met en mode protection, nos modèles d'énergie changent de façon draconienne, et même si nous n'avions pas encore tracé de cercle de protection, j'ai l'impression que les subtils changements dans nos modèles énergétiques ont pu suffire à eux seuls à repousser les fantômes du cimetière Patton. Ne sentant plus aucune activité inhabituelle dans les jardins des morts, nous sommes rentrés chez nous en nous demandant, tout au long de ce long trajet de retour, ce que nous avions vécu durant notre enquête. Notre auto-stoppeur fantôme lui-même avait disparu sans laisser de trace.

Lorsque nous avons commencé à faire le tri dans les preuves accumulées, nous avons été atterrés par ce que nous avions capté durant l'enquête. Nos enregistrements audio étaient remplis des voix des morts.

LES PREUVES

Preuves photographiques : Aucune preuve concluante d'activité paranormale n'a été captée par les appareils photo ou les caméscopes durant notre enquête au cimetière Patton. Un « orbe » anormal a été capté par un appareil photo durant notre enquête diurne, mais WISP a conclu que l'anomalie était probablement une forme rare de reflet de lentille.

Preuves audio : De multiples PVE ont été captés sur les enregistreurs audio durant notre enquête nocturne au cimetière Patton.

LES PVE DU CIMETIÈRE PATTON, PAR ORDRE CHRONOLOGIQUE DE CAPTATION

1. Voix désincarnée : Une voix masculine, captée à l'intérieur de la fourgonnette de WISP, dit : « Étrange pouvoir. » À l'instant de la captation de cette voix, l'équipe WISP préparait son équipement électronique pour l'enquête.

2. Voix désincarnée : Dès que l'équipe WISP est sortie de la fourgonnette, une voix semblable à celle d'un animal dit : « Vous devez rentrer chez vous. »

3. Voix désincarnée : Une voix féminine, captée dans la section galerie du cimetière Patton, dit ceci : « Fermez les lumières. » En comparant les preuves audio aux preuves vidéo, nous découvrons que la voix a également été captée sur caméscope, et qu'au moment de la captation, les quatre membres de l'équipe avaient dirigé leurs lampes de poche sur une seule pierre tombale.

4. Enquêteur : « Dites-nous votre nom. » Voix désincarnée : « Claire. »

5. Enquêteur : « Oh, regardez, la Grande Ourse. » Voix masculine désincarnée : « Chut ! Grande Ourse. » Une quinzaine de secondes s'écoulent entre le commentaire de l'enquêteur sur la Grande Ourse et la réponse de la voix désincarnée, éliminant la possibilité que la voix soit un écho. Ce PVE n'imite pas l'enquêteur mot pour mot.

6. Voix désincarnées : Une voix masculine dit : « Un corps là derrière. » Une voix féminine répond : « Je sais. » La voix

masculine est remarquablement similaire à celle du PVE de la Grande Ourse. La voix féminine paraît désespérée et surnaturelle.

7. Voix désincarnée : « Nous avons des questions. » Au moment où cette voix est captée, WISP discute des possibles techniques métaphysiques à utiliser durant l'enquête.

8. Voix désincarnée : « Bon sang, il les mariait jeunes. » L'enquêteur commente l'inscription qu'il lit sur la pierre tombale d'un homme âgé, où sont inscrits les noms de ses trois épouses. Voix désincarnées : Une voix masculine fait : « Chut ! », suivie d'une voix féminine qui ajoute : « Il n'apprendra jamais. » En fait, WISP se fait souvent faire chut durant l'enquête au cimetière Patton.

9. Enquêteur (s'adressant à un autre enquêteur) : « Hé, par là. » Voix désincarnées : Une voix masculine réplique immédiatement : « Tombe fraîche », suivie par une voix de femme qui mime l'enquêteur et répète quatre fois : « Hé, par là. » Fait intéressant, environ cinq minutes après la captation de ces PVE, l'équipe WISP découvre une nouvelle tombe.

10. Voix désincarnée : Un gros grognement est capté, suivi par une voix féminine lugubre qui dit : « Je leur ai fait peur ».

11. Voix désincarnée : Ce PVE n'est pas une voix, mais le grognement surnaturel que Becca et Sam ont entendu dans le Jardin des souvenirs. Ce grognement est sans aucun doute le PVE le plus sinistre que j'aie jamais entendu. Je parierais ma réputation d'auteur et d'enquêteur que ce qui a grogné devant Becca et Sam dans le Jardin des souvenirs n'était pas de ce monde.

12. Voix désincarnées : Après qu'une voix de femme ait demandé : « As-tu besoin de ton chat ? », une voix masculine dit : « Ils parlent, ils parlent. » La voix féminine est un PVE de catégorie A ; c'est la voix la plus claire et la plus

forte que WISP ait captée à ce jour. C'est également l'une des voix les plus étranges que nous ayons captées. La voix a été enregistrée environ 15 min après qu'Amber et Sam aient entendu miauler un chat, et elle démontre clairement que l'entité féminine était consciente de notre présence et des événements reliés à l'enquête.

13. Enquêteur : « Y a-t-il quelqu'un qui aimerait nous dire quelque chose ? » Voix féminine désincarnée : « Ils sont près de notre pierre tombale à présent. »

14. Une enquêteuse lit le nom « Robert Boardman » à haute voix sur une pierre tombale. Une voix masculine désincarnée répète le nom « Robert Boardman ».

CONCLUSION

Durant l'enquête, le cimetière Patton était un incubateur d'activité paranormale et nous a fourni les preuves audio d'entités paranormales les plus incontestables que l'équipe WISP ait captées à ce jour. Nous avons enregistré un nombre impressionnant de PVE durant l'enquête. Cependant, parmi toutes les voix captées, rien ne prouve que certaines de ces voix appartiennent aux fantômes de Jennie Olson, Peter Gunness ou Andrew Helgelien. Nous ne pouvons donc pas confirmer que les esprits des victimes de Belle hantent le cimetière Patton. WISP a été fasciné de constater que la plupart des preuves audio ont été recueillies dans les nouvelles sections du cimetière, plutôt que dans les anciennes. Cela entre en contradiction avec les preuves que nous avons recueillies durant nos enquêtes précédentes dans le cimetière, où peu ou pas de preuves d'activité paranormale avaient été recueillies autour des nouvelles tombes. Les PVE captés à l'intérieur de la fourgonnette semblent confirmer la présence de l'auto-stoppeur fantôme, bien que l'origine de l'entité ne puisse être confirmée. Nous ignorons s'il s'agissait d'une entité indigène du cimetière Patton.

La capacité de WISP à recueillir des preuves convaincantes d'activité paranormale a augmenté de façon exponentielle ces dernières années, et nous nous demandons *pourquoi* ? Voici ma théorie : en tant qu'équipe d'enquêteurs, nous sommes comme un aimant naturel pour l'activité paranormale, et notre savoir-faire augmentant sans cesse, il en va de même pour notre capacité d'attirer et de détecter des entités d'un autre monde. Je pense que la combinaison des quatre principaux membres de WISP est un mélange rare et parfait de modèles d'énergie favorisant l'activité paranormale. J'étais cependant loin de me douter que dans les mois qui allaient suivre, j'aurais la chance de mettre mes théories à l'épreuve.

Plusieurs semaines après avoir enquêté au cimetière Patton, Sam et Amber ont pris une décision qui allait changer leur vie, soit de vendre leur maison à Rockford, dans l'Illinois, et de déménager dans le nord de l'Indiana. C'était une bonne nouvelle, mais le déménagement allait s'avérer très accaparant et séparer l'équipe pendant un certain temps.

Ainsi, si nous voulions procéder à des enquêtes durant les mois d'été, Becca et moi serions obligés de tout faire nous-mêmes. Nous sommes vite devenus impatients. Je me suis mis à chercher d'autres sites où nous pourrions enquêter durant l'été, Becca et moi. J'en avais trouvé plusieurs, mais il nous fallait procéder à une recherche préliminaire sur le contexte des cas et obtenir la permission d'enquêter. Tous deux impatients de sauter à nouveau dans la mêlée, nous avons décidé de retourner seuls au cimetière Patton. Les fantômes allaient-ils se manifester pour jouer avec Becca et moi ?

DE RETOUR AU CIMETIÈRE PATTON : AS-TU BESOIN DE TON CHAT ?

Après avoir téléphoné au responsable du Service de police de la ville de La Porte et lui avoir fait part de notre intention de poursuivre notre enquête, Becca et moi avons remballé notre équipement et avons repris la route du cimetière Patton. Nous sommes arrivés sans incident, mais nous avons été désappointés de constater que les gens qui habitaient en bordure du cimetière, du côté est, donnaient une grande fête pour tout le voisinage, avec orchestre et feux d'artifice. Nous ne pourrions pas recueillir des preuves audio non contaminées. Becca a donc suggéré de nous rendre dans la partie du cimetière qui était la plus éloignée de la fête, et d'y tourner quelques vidéos. Elle m'a rappelé que les lotissements réservés à la communauté juive (la seule section du cimetière où nous n'avions pas encore enquêté) étaient situés à l'autre extrémité du cimetière, et qu'il pourrait être intéressant d'en faire le tour. J'ai hoché la tête et j'ai conduit la fourgonnette sur un des chemins pavés de Patton. Puis nous avons traversé le cimetière à basse vitesse.

En approchant de la section juive, au fin fond du Jardin des souvenirs, quelque chose d'inhabituel est apparu dans la lumière des phares. En bordure de la route, tout droit devant nous, une jeune femme berçait un chat noir entre ses bras. En me rapprochant un peu, j'ai vu un chat blanc assis par terre, à ses pieds. Voulant savoir pourquoi cette femme était seule avec deux chats, au milieu d'un cimetière à une heure aussi tardive, j'ai immobilisé la voiture, j'ai baissé la vitre et je lui ai demandé : « Est-ce que vos chats étaient sortis ? » La femme m'a regardé. De toute évidence, ma question ne l'intéressait pas. Je suis reparti lentement, mais j'ai continué de regarder la femme dans le rétroviseur. Elle ne semblait pas vouloir bouger.

Je n'avais pas fait plus de cinq mètres quand j'ai enfin réalisé ce qui s'était passé. J'ai regardé Becca. Elle avait les yeux aussi ronds que la pleine lune. Elle en était arrivée à la même conclusion que moi – la femme se tenait à peu près au même endroit où nous avions enregistré le PVE qui demandait : *As-tu besoin de ton chat ?* J'ai freiné et j'ai regardé dans le rétroviseur. La femme et les chats avaient disparu. J'ai tout de suite fait demi-tour. Rien. Pas de femme, pas de chats, seulement un champ de tombes avec nulle part où se cacher. La femme et les chats s'étaient évaporés.

Plus tard ce soir-là, Becca et moi avons fait le tour de la section juive du cimetière, mais à part quelques bruits étranges qui auraient pu être à peu près n'importe quoi, il ne nous est rien arrivé d'extraordinaire.

Je n'irai pas jusqu'à affirmer que j'ai vu les fantômes d'une femme et de ses deux chats ce soir-là au cimetière Patton. *Mais c'est tout juste.* Il est rare, en effet, qu'une explication paranormale soit une explication *rationnelle*, mais dans le cas de la femme et de ses deux chats, c'est la seule chose qui me paraisse sensée. Les chances que nous arrivions dans le Jardin des souvenirs au moment exact où une femme et ses deux chats se trouvaient à l'endroit où nous avions enregistré le PVE d'un chat sont infinitésimales. La femme et ses chats ont disparu au milieu d'un grand champ de tombes. Elle n'avait nulle part où se cacher.

Je ne peux dire avec certitude si ce que nous avons vu ce soir-là était un être de chair ou un fantôme. Je ne peux vous dire si la femme était morte ou vive. Tout ce que *je peux* vous dire, c'est ceci : si vous partez à la recherche de l'inconnu, ne soyez pas surpris si vous le trouvez.

CHAPITRE 3

LE CHEMIN DU LAC BRUSH : MUNCHKINLAND

Enquête : le cimetière Franklin et la légende de Munchkinland
Date du début : 12 août 2006
Lieu : le cimetière Franklin à Eau Claire, Michigan

LA LÉGENDE[4]

On trouve une ancienne chapelle délabrée à l'intersection de la rue Franklin et du chemin du lac Brush, à Eau Claire, Michigan. Elle est entourée par un petit cimetière où ont été enterrés un nombre anormal d'enfants et de bébés. D'après la légende locale, la chapelle et le cimetière sont hantés par le fantôme d'un jeune garçon qui a été assassiné là par un ancien pasteur. Une des pierres tombales du cimetière émet une lugubre lumière verte après la tombée de la nuit, et on peut voir des ombres se mouvoir dans le cimetière. Tard dans la nuit et partout dans le cimetière, on peut entendre glousser les fantômes des enfants morts, et le bruit court que d'autres sons et des ombres étranges seraient abondants et fréquents. À part cela, on sait bien peu de chose sur les esprits qui hantent le cimetière et sur la naissance de la légende de Munchkinland.

---

4. La page Munchkinland sur StrangeUSA.com (www.strangeusa.com/ViewLocation. aspx?locationid=5228) a été notre source d'information pour ce chapitre.

L'ENQUÊTE PRÉLIMINAIRE

WISP avait prévu d'enquêter sur Munchkinland depuis un bon moment, mais Sam et Amber n'étaient pas disponibles parce qu'ils s'apprêtaient à vendre leur maison dans l'Illinois. Nous étions si impatients et las d'attendre le retour de nos partenaires, Becca et moi, que nous avons décidé d'aller faire une petite virée dans le cimetière, rien que nous deux.

Nous ne pouvions pas savoir, à l'époque, que cette décision reviendrait nous hanter de plus d'une manière.

En tant que navigateur, Becca planifiait notre visite pendant que je lui lisais à haute voix les comptes rendus paranormaux sur Munchkinland que j'avais trouvés en ligne. Malgré de légères variations dans les comptes rendus, tous ceux qui s'étaient aventurés dans Munchkinland en pleine nuit s'entendaient sur un point : *le cimetière était l'endroit le plus horrifiant qu'ils aient jamais vu.*

Nous étions si intrigués par les comptes rendus d'activité paranormale au cimetière, Becca et moi, que nous avons commis une grave erreur : nous avons décidé de ne pas attendre qu'il fasse jour pour aller en reconnaissance dans le cimetière, comme nous l'avions toujours fait dans le passé. Nous irions à Munchkinland le soir même! Nous avons réalisé trop tard que nous n'étions pas préparés à ce que nous avons vécu à Munchkinland. La moitié de l'équipe WISP était sur le point de mettre les pieds dans le lieu le plus sinistre, le plus hanté jamais exploré.

LA NUIT TOMBE SUR MUNCHKINLAND

Pendant que nous roulions vers notre destination, je méditais en silence sur ce que nous pourrions découvrir à Munchkinland. Parmi tous les types d'activités paranormales, les plus troublantes, selon moi, ce sont les manifestations impliquant des fantômes d'enfants morts. La seule pensée de fantômes d'enfants me donne des frissons dans le dos, et les récits où l'on disait avoir fréquemment entendu des rires d'enfants, dans le cimetière à la nuit tombée, promettaient déjà une enquête à donner la chair de poule.

Suivant les directives de Becca, j'ai pris la route menant au chemin du lac Brush. Même si, au début, la chaussée était pavée, elle s'est vite transformée en chemin de terre étroit, sinueux et erratique. Il ne semblait pas y avoir de logique dans la manière dont le chemin du lac Brush avait été dessiné. Très vite, nous sommes passés devant une vieille maison en ruine jonchée de squelettes rouillés d'instruments aratoires cassés. De leur lieu de repos dans les herbes hautes qui longeaient la route, les machines semblaient nous observer de leurs orbites impassibles.

À chaque seconde, l'endroit devenait plus isolé et j'étais de plus en plus sur mes gardes. De toute évidence, Munchkinland était situé au plus creux de ce bled, loin de la vie civilisée (et des secours), advenant que les choses tournent mal. Quand j'ai sorti mon cellulaire pour vérifier s'il y avait un signal, j'ai compris, à voir son cadran lumineux, que la chance m'avait fort probablement abandonné.

Je commençais à m'inquiéter pour notre sécurité. Mais ce n'étaient pas les fantômes qui m'inquiétaient ; c'étaient les résidants vivants de l'endroit. Je me demandais *qui pouvait bien être dehors en train de déconner ? À deux, pourrions-nous nous sortir d'un mauvais pas ?*

J'ai regardé ma femme qui jouait avec les boutons de son caméscope. Je n'étais pas très confiant et je songeais à faire demi-tour quand j'ai aperçu Munchkinland. Becca était tout excitée. Il était trop tard pour reculer. Si le danger nous attendait dans le cimetière Franklin, vivant ou autrement, il nous faudrait l'affronter seuls.

À proximité du cimetière, j'ai coupé le moteur et j'ai vu une chose très intéressante surgir devant les phares : comme le rapportaient les légendes locales, une pierre tombale, tout au fond du cimetière, luisait d'une sinistre lueur verte. Soupçonnant que ce phénomène était naturel et non surnaturel, j'ai éteint les phares et la pierre tombale a perdu son éclat sur-le-champ. Une autre voiture qui passait près du cimetière plus tard a provoqué le même phénomène. Nous avons déterminé que la cause du phénomène était la pierre dans laquelle avait été taillé le monument, et non une présence paranormale. Nous avions réglé le cas de l'activité paranormale créant la luisance glauque de la pierre tombale.

Il nous restait encore à entrer dans le cimetière, et déjà, l'enquêteur en moi était de plus en plus sceptique par rapport à la légende de Munchkinland. D'un autre côté, le sorcier en moi sonnait une petite cloche dans ma tête. Même dans la sécurité relative de la fourgonnette, je sentais qu'il y avait quelque chose de très mauvais dans le cimetière Franklin. Mauvais à faire en sorte que votre cœur batte la chamade et que votre épiderme se transforme en chair de poule. J'ai jeté un œil à Becca. À voir l'expression sur son visage, il était évident qu'elle sentait elle aussi quelque chose de mauvais.

La noirceur que j'avais ressentie à l'ancienne ferme de Belle Gunness, lors d'une précédente enquête, n'éclairait en rien les impressions funestes qui se dégageaient de Munchkinland. Le cimetière était menaçant et fascinant à la fois, comme si Munchkinland lui-même nous mettait au défi de franchir sa grille avant, tordue et rouillée. L'impression d'une puissante présence invisible tapie à l'intérieur du cimetière était écrasante. Tellement écrasante, en fait, que Becca et moi avons brièvement songé à abandonner l'enquête jusqu'à ce que nous puissions revenir avec les autres membres de l'équipe. Mais notre sens de l'aventure l'a emporté sur la prudence. Nous avons rassemblé notre matériel et sommes sortis de la fourgonnette.

LE ROI DES MUNCHKINS

En approchant de la chapelle et de la grille du cimetière, j'ai vu quelque chose qui m'a instantanément hérissé : l'une des doubles portes avant de la chapelle avait été défoncée et était restée grande

ouverte. Je me demandais s'il pouvait y avoir quelqu'un à l'intérieur? *Un vagabond? Un fauteur de trouble? Risquions-nous d'avoir
des problèmes? D'être blessés?* Je me suis dit que nous devions rester
sur nos gardes à tout moment. J'ai également remarqué qu'il y avait
un graffiti peint à la bombe sur la porte qui était restée intacte. J'ai
gravi les marches pour mieux voir. En lettres rouge vif, j'ai lu : *je suis
le roi des Munchkins.* Je lus cette phrase à Becca, en ajoutant : «Des
adolescents en mal de frissons.» Elle a acquiescé. Munchkinland
était à l'évidence un lieu de rassemblement populaire pour les
mécréants du coin qui avaient envie de jouer les artistes graffiteurs.

M'éloignant des portes, j'ai jeté un coup d'œil à la chapelle.
Elle était dans un tel état de décrépitude que j'étais étonné qu'elle
tienne encore debout. J'ai pris quelques photographies de la chapelle avec mon appareil numérique, et – rien qu'un instant – j'ai
aperçu quelqu'un ou quelque chose à l'intérieur du clocher. J'ai tout
de suite regardé les photos que je venais de prendre sur l'écran
LCD de mon appareil. Rien d'anormal. Celui – ou la chose – qui
était dans le clocher s'était évaporé aussi soudainement qu'il était
apparu. J'ai demandé à Becca d'allumer son caméscope. S'il devait y
avoir d'autres apparitions, je voulais que nous puissions les filmer.

Notre équipement était fin prêt. Le temps était venu d'entrer
dans le cimetière et de démasquer les fantômes de Munchkinland.

Mais, arrivés à la grille d'entrée, quelque chose nous a fait
hésiter. Nous entendions des bruits étranges. Ils semblaient venir
de toutes les directions. À notre gauche, nous entendions un grésillement semblable à celui que produit une génératrice électrique.
Derrière nous, un grognement bas et profond qui flottait et tour-
noyait comme s'il avait été pris dans un violent courant d'air.
Des yeux tout le tour de la tête, nous avons franchi la grille. Le
grognement semblait nous suivre et il était de plus en plus fort.
Soudain, une chose a paru sauter entre deux grosses pierres tombales avant de disparaître. Becca a fait deux pas en arrière. J'ai sorti
ma lampe de poche. Au même moment, une présence invisible a

murmuré le mot *vican* à mon oreille, et nous avons entendu grogner très fort près de nous.

J'ai dit à Becca de retourner à l'entrée, mais elle était déjà partie. Nous étions entourés de bruits étranges. Il y avait des mouvements furtifs, indistincts, partout dans le cimetière. J'ai allumé ma lampe de poche et j'ai inspecté le cimetière. Rien que des pierres tombales.

Le cimetière Franklin est petit, une acre tout au plus, et la majorité des pierres tombales sont minuscules. J'étais à peu près certain que ce qui rôdait par là n'était pas humain. Il n'y avait tout simplement pas suffisamment de cachettes. Même si j'étais convaincu que l'activité était paranormale, il n'était pas question que je compromette la sécurité de ma femme. Elle se trouvait à deux mètres de moi environ, près de la grille d'entrée, lorsque je lui ai dit, de ma voix la plus assurée et professionnelle : « Retourne à la fourgonnette. » Venu de quelque part entre elle et moi, nous avons entendu un « Ouou » strident. Le son était tellement pareil à l'imitation que nous faisons des fantômes que, si l'espace qui nous séparait n'avait pas été désert, j'aurais été persuadé que quelqu'un nous jouait un tour.

Mais il n'y avait personne. Et impossible de se tromper quant à la provenance du bruit. Ce qui avait produit ce son était près de nous, et pourtant, il n'y avait rien. Au moins, rien que nous puissions voir de nos yeux. De toute évidence, les fantômes du cimetière Franklin voulaient jouer, mais je n'en avais pas envie. J'ai rejoint Becca près de la grille et je l'ai escortée jusqu'à la voiture.

Puis j'ai décidé de retourner dans le cimetière seul. Je n'y resterais pas longtemps. Au moment où je retraversais la grille, le grognement a repris. Il était plus fort ; il avait l'air plus furieux. Cela ne ressemblait à aucun son que j'avais déjà entendu. Le bruit était tout autour de moi, et j'étais sûr qu'il ne pouvait pas être d'origine humaine. Le grognement m'encerclait à présent, comme un prédateur acculant sa proie. Lorsqu'une chose cachée derrière une pierre tombale a fixé ses yeux sur moi, j'ai allumé ma lampe de poche et j'ai couru dans sa direction. Rien. J'ai entendu deux gros grognements. Ils étaient très près. Il y a eu un autre grognement surnaturel, puis une force invisible s'est frottée très fort contre mes jambes.

J'en avais assez. La chose qui me poursuivait me semblait sinistre et féroce. Me sentant soudain seul et sans défense, j'ai couru vers la grille et me suis engouffré dans la fourgonnette.

CELUI QUI N'ÉTAIT PAS INVITÉ

Becca et moi étions d'avis que pour pousser plus loin notre enquête sur Munchkinland, le mieux serait de revenir avec l'équipe au complet. Notre sens de l'aventure avait atteint sa limite. Nous réalisions que l'activité paranormale dans le cimetière avait si vite commencé que nous n'avions pas eu le temps de nous préparer métaphysiquement à enquêter. Nous avons admis que c'était une erreur que nous ne referions plus jamais, pas plus que nous ne procéderions à une enquête sans avoir d'abord inspecté les lieux en plein jour.

Pendant que nous nous éloignions du cimetière Franklin et des fantômes de Munchkinland, une chose assez extraordinaire est apparue dans la lumière des phares de la fourgonnette : un renard argenté trottinait sur le chemin à environ 18 m de nous. Il est très rare que l'on rencontre un renard argenté et, même si le renard s'est immédiatement dérobé à notre vue, nous étions ravis d'avoir aperçu une créature aussi belle et fascinante. Mais notre enthousiasme allait être de courte durée.

En approchant de l'endroit où le chemin de terre du lac Brush redevient une route pavée, nous avons simultanément été submergés par un vif sentiment de terreur. Tous nos poils se sont dressés à l'attention. Nous nous sommes regardés. *Mais qu'est-ce qui se passe, bordel ?*

J'ai vérifié dans le rétroviseur et ce que j'ai vu a bien failli me faire prendre le fossé : quelqu'un ou quelque chose était installé sur la banquette arrière. J'ai freiné et j'ai allumé le plafonnier. Il n'y avait rien. Mais, même si ce qui avait été là – et nous étions certains qu'il y avait eu quelque *chose* – avait disparu de notre vue, nous avions bel et bien senti une forte présence invisible qui flottait toujours dans l'air. L'entité en question avait quelque chose de lugubre comme rien de ce que j'avais pu ressentir auparavant. La chose qui était sortie de Munchkinland en même temps que nous était forte. *Très forte.*

J'ai aussitôt su que ce ne serait pas une mince tâche de persuader l'entité de sortir de la fourgonnette. Elle semblait très à l'aise là où elle se trouvait. Il nous fallait trouver le moyen de la convaincre. Nos aptitudes métaphysiques allaient être mises à rude épreuve.

Sans hésitation, j'ai saisi le seul outil métaphysique dont je ne me sépare jamais durant une enquête : mon couteau rituel. Je l'ai brandi et j'ai ordonné à l'entité de sortir de la fourgonnette. Elle résistait. Je voyais des ombres remuer à l'arrière, comme si la chose se débattait dans l'obscurité. La deuxième fois que j'ai brandi mon couteau en y mettant toute la force de ma volonté, l'entité invisible a reculé. J'étais forcé de jouer au plus fort avec un fantôme enragé. Sentant que Becca tentait elle aussi de faire reculer l'entité, je lui ai dit : « Prépare-toi à sceller la voiture dès qu'on aura réussi à la chasser. » Si nous réussissions à l'expulser, je ne voulais certainement pas qu'elle puisse revenir à l'intérieur.

Nous avons poussé et poussé, Becca et moi. Enfin, nous avons commencé à sentir que l'entité perdait de la force. Puis, tout d'un coup, il y a eu un gros bruit et nous avons vu les ombres s'envoler à travers les murs de la fourgonnette. La présence inhumaine était partie. Becca a crié : « Maintenant ! » et, en utilisant chaque milligramme de volonté qu'il nous restait, nous avons focalisé l'énergie autour de nous et posé un bouclier autour de la voiture. Qu'est-ce qui nous était arrivé ? J'ai éteint le plafonnier, j'ai embrayé, et nous sommes rentrés chez nous sans dire un mot.

NOM DE CODE K9 : HEIDI, DÉTECTIVE DU PARANORMAL

Le lendemain de notre enquête nocturne à Munchkinland, nous avions décidé, Becca et moi, de retourner au cimetière Franklin en plein jour, afin de nous faire une image plus claire des sépultures et une meilleure idée de ce à quoi nous avions été confrontés. Nous avions également décidé de demander l'aide de l'une de nos plus fidèles amies : Heidi, le chien de la famille. Nous avions lu des comptes rendus fascinants sur des chiens que l'on avait utilisés dans des enquêtes paranormales, et nous avions hâte de tenter le coup avec notre propre toutou. La principale théorie derrière l'utilisation des chiens pour enquêter sur une activité paranormale, c'est qu'ils sont censés posséder un sens plus aiguisé de l'activité anormale que nous, humains. Notre fidèle amie Heidi arriverait-elle à renifler les fantômes de Munchkinland ? Nous allions bientôt le découvrir.

Après avoir préparé notre matériel photographique et nos enregistreurs audio, nous avons fait monter Heidi dans la fourgonnette et avons repris la longue route jusqu'à Eau claire, Michigan, et Munchkinland. Dès notre arrivée, nous avons remarqué que Munchkinland semblait beaucoup plus invitant en plein jour. Mais Heidi n'était pas de notre avis. Son comportement, normalement enjoué et détendu, a fait place à une franche trépidation. Elle était nerveuse et capricieuse. Sa réticence l'emportait sur sa curiosité naturelle, et elle était extrêmement hésitante à quitter la sécurité de la fourgonnette, ce qui ne lui ressemblait pas du tout. En temps normal, elle est plus qu'heureuse de faire une petite virée et de s'ébrouer un peu. Pas cette fois. Pas à Munchkinland.

Comme je la poussais, elle a fini par sauter hors de la voiture, mais à peine avait-elle touché à terre qu'elle s'est mise à geindre et à aller et venir nerveusement. Ses gémissements étaient aigus et ne ressemblaient à aucun des sons qu'elle avait pu émettre jusque là. Après lui avoir fait traverser la grille tordue et rouillée de Munchkinland, puis menée jusqu'aux pierres tombales, elle a enfin commencé à se détendre, ne serait-ce qu'un peu. Mais tandis qu'Heidi se calmait, Becca et moi nous sentions de plus en plus mal à chaque minute. En regardant autour de nous, nous avons soudain compris ce qui avait valu à Munchkinland son nom et sa réputation de cimetière hanté. Nous étions entourés de tombes de bébés et de jeunes enfants.

Munchkinland compte un nombre ahurissant de tombes d'enfants. Partout où se portait notre regard, il y en avait une autre, une autre et encore une autre. Nous n'avions jamais vu rien de tel. Intriguée et mystifiée par ces innombrables tombes d'enfants, Becca a sorti un crayon et un bloc-notes et a commencé à faire le tour des pierres tombales pour tenter d'en faire un compte approximatif. Au même moment, j'ai allumé mon enregistreur numérique et je suis parti avec Heidi pour essayer d'enregistrer les voix des morts.

J'approchais de la chapelle en ruines lorsque j'ai entendu le son strident que j'avais entendu la veille. Quand quelque chose a sifflé près de ma tête, j'ai tout de suite su de quoi il s'agissait. Des abeilles. En me rapprochant de la chapelle, j'ai vu que la cheminée avait commencé à se séparer de l'édifice et, dans la crevasse entre la chapelle et la cheminée, il y avait la plus grosse ruche que j'aie jamais vue. Des centaines, peut-être des milliers d'abeilles tournoyaient autour de la fissure. C'était inquiétant. Becca, ma femme et collègue enquêteuse, est extrêmement allergique aux aiguillons d'abeilles. J'ai saisi la laisse de Heidi et je suis reparti en direction de Becca, pour lui dire qu'elle devait rester loin de l'arrière de la chapelle.

Soudain, Heidi est restée figée sur place, aux aguets, les oreilles droites. Puis elle s'est accroupie et s'est mise à grogner. Il y avait quelque chose tout près. Une chose qu'elle n'aimait pas du tout.

Nous étions au beau milieu du cimetière, Heidi et moi. J'ai regardé partout autour de nous, sans pouvoir m'expliquer ce qui l'avait fait réagir ainsi. À part nous trois, Munchkinland était vide ;

pas un écureuil, pas un oiseau à l'horizon. Ma fidèle compagne canine sentait-elle quelque chose de paranormal ? Il y avait une seule façon de le vérifier : il fallait que je capte les voix des morts sur mon enregistreur audio.

Becca était encore assez loin et, comme il n'y avait pas d'autres humains dans le cimetière, je savais que c'était l'occasion rêvée de saisir un enregistrement audio clair et non contaminé. En observant bien Heidi et en commentant son comportement sur mon enregistreur, je l'ai conduite parmi les pierres tombales, à la recherche des fantômes de Munchkinland. Quand, une fois de plus, elle s'est arrêtée net et a tendu les oreilles, j'ai posé une seule question aux fantômes : « Que pensez-vous de mon chien ? »

Lorsque j'ai fait rejouer mon enregistrement audio quelques minutes plus tard, j'ai découvert que j'avais reçu une réponse. Mais cela n'était pas très gentil envers mon amie à poils. J'avais capté un seul mot qui semblait être une réponse directe à ma question : *affreux*. Selon toute vraisemblance, les fantômes de Munchkinland n'étaient pas impressionnés par l'apparence physique de Heidi.

Quand nous avons rejoint Becca, elle m'a dit combien de tombes d'enfants elle avait réussi à compter. Ce nombre était stupéfiant. Elle avait calculé 103 tombes de bébés et d'enfants de 19 ans ou moins. Dans un cimetière qui faisait moins d'une acre de superficie, ce nombre nous paraissait énorme, une extraordinaire densité de population. Munchkinland comptait également plus de 30 pierres sans inscription, dont plusieurs auraient très bien pu être des tombes d'enfants.

De retour à la maison plus tard ce jour-là, j'ai fait le tri dans mes enregistrements audio et j'ai découvert que j'avais capté pas moins de 10 voix anormales, dont la plupart semblaient répondre directement à mes questions. Bien qu'aucune des autres voix captées n'ait été reconnaissable ou aussi claire et limpide que celle qui avait répondu que mon chien était affreux, ils sont rares, les PVE diurnes (comme le sont d'autres types de phénomènes paranormaux diurnes), ce qui amène la question *Pourquoi ?* Ma théorie favorite est que les conditions atmosphériques nocturnes, contrairement aux conditions atmosphériques diurnes, sont plus conductrices d'activité paranormale et permettent d'établir un contact plus fort, un peu comme ces mêmes conditions permettent aux ondes radio de voyager plus loin pendant la nuit.

J'étais fasciné par le nombre de PVE diurnes que j'avais pu capter en si peu de temps. J'étais encore plus fasciné par le fait que juste avant de capter la plupart de ces voix, Heidi avait été aux aguets et sans doute consciente d'une présence.

Je ne doute pas une minute que Heidi sente des entités au-delà de notre monde ; peut-être même que la grande sensibilité auditive des chiens lui permettait d'entendre leurs voix. Mais, même si ces découvertes étaient intéressantes et justifiaient d'autres tentatives du genre, il nous faudrait mettre les talents de détective du paranormal de Heidi en veilleuse pour le moment.

Sam et Amber avaient terminé leur déménagement dans le nord de l'Indiana. L'équipe WISP pourrait enfin partir en force à la chasse aux fantômes de Munchkinland.

LES PETITES ÂMES PERDUES
DE MUNCHKINLAND

C'était merveilleux de retrouver l'équipe au complet. Tout en rassemblant notre matériel et en préparant notre retour à Munchkinland, nos esprits étaient au paroxysme. Nous étions gonflés à bloc et prêts à entreprendre une chasse aux fantômes sérieuse. Nos niveaux d'énergie étaient également très élevés, et nous nous promettions de mettre toute cette énergie à profit durant notre prochaine enquête nocturne.

Après avoir entendu le récit de notre première enquête à Munchkinland, Amber était excitée et Sam était sceptique. Ce n'était pas nouveau. Le scepticisme de Sam est une force réaliste qui fait de lui un membre inestimable de notre équipe. Mais, qu'il soit ou non un bon avocat du diable, je ne pouvais m'empêcher de me demander si Sam serait aussi sceptique en ce qui concernait Munchkinland, après en avoir lui-même fait l'expérience.

En roulant vers notre destination, nous nous sommes retrouvés dans la queue d'une ligne d'orage. Munchkinland allait forcément être détrempé, et nous ne pouvions qu'espérer que l'orage soit déjà passé à notre arrivée au cimetière. Heureusement, ce fut le cas. Quand nous sommes arrivés à Munchkinland et que j'ai coupé le moteur, la pluie avait diminué et s'était transformée en léger crachin. Nous avons décidé de nous aventurer dans le cimetière, mais nous avons préféré laisser notre matériel dans les étuis jusqu'à ce que la pluie ait complètement cessé.

À l'approche de la grille d'entrée du cimetière, un sentiment écrasant nous avait envahis, mélange de prudence et d'excitation. L'humidité du sol, mélangée à l'air chaud de la nuit, créait une couverture de brume qui rampait sur tout le cimetière. Si Munchkinland n'était pas hanté, on aurait certainement pu croire qu'il l'était ce soir-là.

La pluie fine tombant encore sans interruption, nous nous étions regroupés sous un gros chêne près de l'entrée et nous scrutions le cimetière pour détecter des signes de mouvement. Il n'y avait rien. Contrairement à la fois précédente, ce soir Munchkinland semblait calme et (pardonnez-moi le mauvais jeu de mot) sans vie. Pas de bruits étranges, pas de mouvement. Même la porte de la chapelle avait été réparée et barrée ; il était donc impossible que quelqu'un se cache à l'intérieur. Mais, pendant que Sam et moi déballions nos caméras et notre équipement audio, Becca et Amber ont vu quelqu'un ou quelque chose marcher entre deux grosses pierres tombales, à cinq mètres devant nous environ. C'étaient les mêmes pierres tombales où nous avions vu quelque chose marcher le soir où nous nous étions aventurés seuls à Munchkinland, Becca et moi.

Maintenant, après avoir soigneusement inspecté l'entourage des pierres tombales, nous n'avions toujours rien trouvé. Comme le mouvement autour des pierres tombales était répétitif, Becca a suggéré que le phénomène était peut-être causé par une activité paranormale résiduelle. Nous étions d'accord, et Sam a installé un de nos caméscopes sur un trépied afin de filmer les pierres tombales. De mon côté, j'ai disposé des pièces de puzzle (provenant d'un puzzle Scooby-Doo, rien de moins) sur la pierre tombale d'un enfant, puis je les ai saupoudrées de poudre de talc. Ces pièces de puzzle sont ce que les enquêteurs du paranormal appellent *objets déclencheurs*. L'usage d'objets déclencheurs repose sur la théorie selon laquelle les fantômes seraient attirés par des objets intéressants ou familiers et auraient envie de les analyser et/ou de les déplacer.

Les objets déclencheurs peuvent varier grandement d'une enquête (ou d'un enquêteur) à une autre, et on les choisit normalement après avoir soigneusement étudié les antécédents de la manifestation. Autrement dit, les objets déclencheurs sont choisis sur la base de ce que nous apprenons du ou des fantômes qui sont censés hanter un lieu donné. Si l'on croit que le fantôme est celui d'une personne décédée au début du 20ᵉ siècle, les objets déclencheurs utilisés durant l'enquête proviendront habituellement de cette période. La monnaie et les bijoux anciens en sont deux bons exemples. Si l'on croit que le fantôme est celui d'un enfant de notre époque, on utilisera des objets déclencheurs modernes, tel un jouet avec lequel l'enfant s'amusait de son vivant, afin de provoquer une réaction.

Comme nous n'avions aucune information précise quant à la période dont étaient issus les fantômes (ou le fantôme) qui hantaient Munchkinland, les pièces de puzzle nous paraissaient appropriées pour inciter l'esprit désincarné d'un enfant mort à venir jouer sur une tombe. Théoriquement, leurs mains fantomatiques pourraient laisser des empreintes sur la poudre de talc. Une fois les pièces du puzzle disposées, j'ai pris une photographie numérique de la tombe, afin de pouvoir nous en servir comme référence au moment de trier nos preuves. Je prendrais une deuxième photographie de la tombe au moment de remballer nos affaires. Ainsi, advenant que les pièces du puzzle ou la poudre de talc soient déplacées durant l'enquête, nous aurions une preuve photographique.

Sam avait fini par installer le caméscope dans une position qui lui convenait. Il n'avait pas aussitôt pressé le bouton d'enregistrement que quelque chose a poussé un cri à l'autre extrémité du cimetière. Puis, une chose a crié juste derrière nous. Les deux cris étaient identiques. Ils vous donnaient la chair de poule et vous glaçaient le sang. Nous avons allumé nos lampes de poche et nous sommes retournés pour voir ce qui avait produit ces sons. Nous ne voyions rien. Nous sommes restés là, en silence, attendant que la chose crie de nouveau. L'attente n'a pas été longue. De l'autre extrémité du cimetière est arrivé un autre cri, puis un autre.

— Qu'est-ce que c'est, pour l'amour du ciel ? ai-je demandé.

— Cela n'a pas l'air humain, a ajouté Amber.

Il s'est avéré qu'elle avait raison. Les cris n'étaient pas d'origine humaine. Nous avons vite découvert que c'étaient des cris d'animaux. Des oiseaux, pour être exact.

Scrutant les abords du cimetière à l'aide de nos lampes de poches, nous avons fini par apercevoir des oiseaux qui voltigeaient dans les arbres. Même s'ils étaient nombreux, nous n'avons pas pu nous en approcher suffisamment pour les identifier. Je me demandais quel genre d'oiseau pouvait émettre des cris aussi horribles. Je me demandais également si les oiseaux qui criaient ainsi n'étaient pas en partie responsables de la réputation de cimetière hanté de Munchkinland. Certes, ceux et celles qui n'avaient aucune notion de la vie sauvage pouvaient penser que ces cris étaient paranormaux. Ils avaient même réussi, pendant un moment, à tromper des enquêteurs aussi aguerris que nous. Mais les oiseaux ont vite cessé de criailler, et nous avions des affaires plus importantes à régler que l'identification de la faune du coin. Le temps était venu de trouver les véritables fantômes de Munchkinland.

VOIR DANS LE NOIR

L'équipe avait décidé qu'il était temps d'utiliser la nouvelle technique métaphysique de chasse aux fantômes que nous avions inventée mais que nous n'avions pas encore essayée. Cette nouvelle technique consistait à former un cercle magique, à rassembler une énorme quantité d'énergie de groupe, puis à diriger cette corne d'abondance de pouvoir dans la terre afin « d'insuffler » cette énergie à tout l'espace, ce qui, espérions-nous, nous permettrait de localiser des entités et/ou des poches d'activité paranormale.

Pour commencer, nous avons formé un cercle au milieu du cimetière en nous tenant par la main. Nous avons fermé les yeux et respiré profondément l'air de la nuit. Nous avons ouvert nos esprits et nos sens. Nous nous sommes concentrés sur notre objectif. Très vite, nous avons senti l'énergie tourbillonner autour de nous. Nous avons intégré cette énergie en nous et l'avons sentie se répandre dans nos corps et dans notre cercle. Dans cette énergie, nous avons mélangé notre volonté et notre propre énergie, en lui imprimant notre objectif : entrer en communication et amincir le voile entre les mondes des vivants et des morts. Nous avons amassé l'énergie en nous, en la renforçant chacun son tour avant de la passer à la personne suivante dans le cercle. L'énergie est passée à travers nous et autour de nous, nous encerclant, gagnant toujours en vitesse et en force. Très vite, elle est devenue un peu plus qu'une petite masse de pouvoir et d'énergie. Puis nous avons élevé l'énergie, la focalisant en une seule boule puissante à l'intérieur de notre cercle. Je me suis agenouillé et j'ai mis mes mains sur la pierre qui reposait à mes pieds. Nous nous concentrions encore et encore, mes coéquipiers et moi, faisant grossir la boule d'énergie et la faisant s'élever toujours plus haut. L'énergie ayant atteint son paroxysme, le temps était venu de la libérer.

Comme nous l'avions fait durant nos exercices, nous avons libéré cette boule d'énergie et lui avons fait exécuter un plongeon dans la terre. J'ai senti qu'elle me frappait comme une vague blanche et chaude de lumière invisible. Je l'ai immédiatement expédiée dans la pierre sous mes mains, puis l'ai envoyée couler à travers tout le cimetière. Avec mon troisième œil, j'ai vu la vague d'énergie submerger Munchkinland. Ce phénomène visuel intensifié ne ressemblait à rien de tout ce que j'avais vu jusque-là. La vague d'énergie battait et clignotait, remplissant le cimetière d'éclairs de lumière colorée. Des éclats d'orangé, de rouge et de bleu se répandaient telles des couleurs vibrantes et électriques se répandant dans une vieille photographie en noir et blanc. Ce que j'avais sous les yeux était d'une indescriptible beauté.

Mais je voyais autre chose. Quelque chose d'effroyable. Parmi les éclairs de couleur, j'ai vu pas moins de cinq entités. L'une d'elles était juste derrière moi. Sans réfléchir, je me suis relevé et j'ai saisi la caméra accrochée à mon cou. « Te voilà ! » ai-je lancé, et j'ai levé l'appareil pour prendre une photo.

Je n'ai pas pu. Directement devant moi, un « Euh » ! tonitruant s'est fait entendre. J'en ai eu la chair de poule. J'ai senti une chose que je peux seulement décrire comme une haleine chaude me soufflant au visage. Amber et Becca ont cessé de respirer. Elles avaient entendu ce bruit, elles aussi. Et Sam l'avait entendu, même si, pour le moment, cela ne semblait pas le déranger. Il courait vers le fond du cimetière comme un possédé. Nous sommes partis en courant derrière lui, tous les trois.

DES OMBRES DANS LA NUIT

Le seul éclairage normal à Munchkinland vient d'un unique lampadaire planté dans la terre près de l'avant de la chapelle. En nous rapprochant de Sam, nous avons vu qu'il se tenait près du fond du cimetière, entre le lampadaire et la rangée d'arbres qui encercle tout, à part le devant de Munchkinland. Il fixait la rangée d'arbres. Nous étions près de lui lorsque notre coéquipier a reculé de trois pas. De toute évidence, quelque chose l'avait fait sursauter.

— Qu'est-ce qui se passe ? ai-je demandé.

— Les ombres, a-t-il répondu. Regardez les ombres.

Nous avons regardé. Elles se déplaçaient. De grandes ombres humanoïdes déambulaient. Elles étaient beaucoup trop grandes pour être les silhouettes des oiseaux criards que nous avions aperçus quelques minutes plus tôt. Tandis que Becca, Amber et moi observions la scène environ six mètres plus loin, Sam alluma sa lampe de poche et inspecta le fond du cimetière. Rien. Il l'éteignit, attendit quelques secondes, puis répéta le processus.

— Je n'y comprends rien, a-t-il lancé. Il y a du mouvement tout autour d'ici, mais quand j'allume ma lampe de poche, ce qui le produit disparaît.

Nous nous apprêtions à aller le rejoindre quand, venue de nulle part, une ombre énorme a balayé la terre devant lui et a enveloppé la rangée d'arbres. L'ombre était plus haute que les arbres. Près de son sommet, il y avait une mince aura de lumière bleue floue. Nous avons regardé l'espace entre Sam et le lampadaire. Vide. Il n'y avait là rien de naturel à quoi nous aurions pu attribuer cette ombre énorme.

Puis l'ombre qui avait enveloppé Sam et la rangée d'arbres a disparu aussi vite qu'elle était venue.

De toutes les choses étranges dont j'aie pu être témoin dans ma vie, cette ombre se classe très près du haut de la liste. Sa taille et la vitesse à laquelle elle est apparue avaient des implications époustouflantes. C'était sans contredit une des plus impressionnantes et des plus convaincantes manifestations d'activité paranormale que chacun d'entre nous ait jamais vue.

Mais l'ombre avait quitté le cimetière en ne laissant aucune trace de sa présence. Il n'y avait plus rien à faire, à présent, sinon conjecturer sur ce que cela pouvait être. C'est à ce moment-là qu'Amber a suggéré d'installer un caméscope dirigé sur la rangée d'arbres et d'essayer de capter toute activité paranormale qui pourrait se reproduire. Même si nous étions d'accord pour dire que l'idée était excellente, elle n'a jamais eu la chance de la mettre à exécution. Soudainement, quelque part entre Sam et nous trois, une chose invisible a grondé. Quelque part dans les ténèbres derrière nous, un enfant s'est mis à rire.

Munchkinland s'était réveillé.

LA NUIT DES MUNCHKINS

Ces ricanements enfantins provenaient du fond du cimetière, à 46 mètres environ du lieu où nous étions. Nous avons immédiatement allumé nos lampes de poche et avons formé deux groupes, afin de pouvoir cerner cette chose mystérieuse dans des directions opposées. Nous nous sommes lentement frayé un chemin dans le noir en direction du son, en prenant garde de ne pas trébucher sur une pierre ou sur la marque d'une tombe plus petite en marchant. Notre voulions nous approcher de la chose en pleine noirceur ; comme ça, si un farceur – femme ou homme – avait produit ce ricanement, nous pourrions le prendre sur le fait.

Becca et Sam marchaient vers le son en bordure arrière du cimetière, tandis qu'Amber et moi approchions vers l'avant. En approchant de la barrière en fer forgé, Amber et moi avons entendu un grognement très fort dans l'obscurité, droit devant nous. Exactement comme le grognement d'un cochon. Hésitants, nous avons tendu l'oreille. Bientôt, nous avons entendu quelque chose de l'autre côté de la grille avant. C'était le grognement sourd et profond que j'avais entendu le soir où Becca et moi nous étions aventurés seuls à Munchkinland. Peu à peu, le bruit devenait plus fort. Un autre grognement. Il était derrière nous à présent. Nous nous sommes retournés, brandissant nos lampes de poche comme des armes.

Rien. Aucune vie, aucun mouvement derrière nous. Ce qui avait grogné dans notre direction n'était pas de notre monde. De cela, nous étions à peu près certains.

Nous sommes restés là en silence pendant un moment, attendant que le grognement se reproduise. Mais non. Ne restait que le rugissement inexplicable qui tournait autour de la grille avant de Munchkinland tel un prédateur, mais même celui-là allait s'amenuisant. Nous avons éteint nos lampes de poche et avons reporté notre attention sur notre première cible : les ricanements d'enfants fantômes.

En nous approchant du fond de Munchkinland, Amber et moi, nous apercevions à peine les silhouettes de Sam et Becca dans la faible lumière. Ils étaient accroupis en bordure d'une courte rangée de pierres tombales. Sam a levé la main et nous a demandé de rester où nous étions. Nous nous sommes immobilisés puis accroupis à notre tour, et nous avons attendu en silence, en tendant l'oreille aux bruits de la nuit.

Nous entendions le grésillement des grillons et le léger bruissement du vent dans les arbres, mêlés aux douces voix d'enfants. Nous pouvions également percevoir des mouvements subtils dans les ombres devant nous. Puis nous avons entendu le rire d'une fillette, suivi d'autres rires un peu moins aigus. Les sons étaient étouffés mais reconnaissables. C'étaient ceux que deux enfants peuvent produire lorsqu'ils rient d'une bonne blague et qu'ils chuchotent et ricanent ensemble en catimini.

J'ai vérifié que le caméscope attaché à mon bras enregistrait toujours. Il enregistrait. Enfin, nous saurions une fois pour toutes si les voix que nous entendions étaient des voix d'enfants humains ou des voix de fantômes. Je me suis relevé lentement et me suis joint à mes coéquipiers pour mieux encercler l'endroit d'où provenaient les voix. Nous déplaçant aussi vite que possible sans faire de bruit, nous avons formé un cercle de plus en plus serré. Les voix enfantines continuaient. Nous étions tout près à présent. Nos lampes de poche en main, nous cernions nos proies lorsque, soudain, Munchkinland fut inondé de lumière. Nous étions là tous les quatre, formant un cercle serré et nous regardant l'un l'autre sans y croire. Nous étions seuls.

Une fois de plus, les fantômes de Munchkinland nous avaient déjoués.

DES AUTELS POUR LES MORTS

Sans pouvoir trouver d'explication naturelle à ces voix, nous sommes retournés à l'autre bout du cimetière, là où l'ombre gigantesque avait enveloppé la rangée d'arbres. Nous y avons fait une découverte intéressante : dans le coin le plus reculé de Munchkinland, il y avait une pierre tombale en forme de banc. Treize petites bougies chauffe-plat rouges avaient été disposées sur cette pierre et formaient un motif apparemment étudié. Les mèches des bougies avaient été consumées quasiment au point de disparaître. Autour des bougies, des symboles familiers avaient été dessinés à la craie rouge et blanche. Les pierres tombales avaient tout récemment servi d'autel pour un rituel occulte.

Nous avons très vite compris que l'individu qui avait utilisé cet autel de fortune n'avait pas la moindre idée de ce qu'il faisait. Les symboles à la craie n'avaient aucun sens. Ils semblaient avoir été tracés au hasard, par un amateur. À côté d'une croix égyptienne, un pentagramme inversé. Nous n'avons eu aucun mal à déduire que celui ou celle qui avait dressé l'autel avait trop souvent regardé *Le bébé de Rosemary* et peut-être même mis la main sur une copie de *La Bible satanique* d'Anton LaVey, chez Barnes & Noble, avant de tenter d'impressionner ses amis à l'aide d'un rituel nocturne.

Mais même à cela, nous avons trouvé l'idée d'utiliser Munchkinland comme site pour un rituel plutôt intrigante. Le fait que Munchkinland soit fréquenté par des adolescents est bien documenté, et nous commencions à nous demander combien de fois des ados s'étaient aventurés ici avec une boule de cristal ou une planche Ouija, dans l'espoir de donner un bon spectacle en tentant d'entrer en communication avec les morts. Nous avons même souri à la pensée d'un groupe non préparé d'adolescents convoquant par inadvertance une chose à laquelle ils n'étaient pas préparés. Je me rappelais les chaudes nuits d'été de ma jeunesse et les nombreuses histoires de fantômes que mes amis et moi nous racontions autour d'un feu de camp, lorsque nous couchions à la belle étoile, et l'idée de raconter des histoires de fantômes sur un site aussi glauque que Munchkinland me ravissait. J'ai même eu un petit frisson rien qu'à y penser.

Nous savions, grâce à nos recherches, que le fond du cimetière, où le rituel avait pris place, était censé être un des endroits où il y avait le plus d'activité paranormale. L'ombre énorme, qui avait enveloppé cet endroit plus tôt le même soir, et la quantité sans précédent de mouvements inexplicables, tout le long de la rangée d'arbres, semblaient renforcer cette croyance. Nous avons passé l'heure suivante à inspecter les confins du cimetière, mais à part quelques sons étranges que nous n'avons pas pu identifier, il ne s'est rien passé d'inhabituel ou de paranormal. Manquant de temps et de piles, nous avons fini par nous déployer aux quatre coins de ce terrain hanté et sacré, afin de poursuivre notre recherche de morts errants.

NOIRCEUR, NOIRCEUR

Le reste de notre seconde nuit à Munchkinland fut rempli d'activité paranormale. Tout autour de nous, nous entendions des sons et des voix non identifiables. Nous percevions du mouvement du coin de l'œil. Bien que leurs voix aient été floues et indéfinissables, les morts répondaient de manière audible à nos questions. À un certain moment, quelque chose a murmuré le mot « vican » dans l'oreille d'Amber, et elle a brièvement entrevu une présence qui la suivait partout. *Vican* était le même mot qu'une présence invisible avait prononcé près de moi le soir où nous étions venus seuls à

Munchkinland, Becca et moi. Amber ne le savait pas, et le fait que nous ayons tous les deux entendu la même voix, à deux occasions différentes, me fascinait.

L'activité a continué jusqu'à deux heures environ, puis elle a cessé abruptement. Le cimetière ne donnait plus l'impression d'une entité vivante et palpitante. L'énergie que nous avions insufflée à la terre avait-elle fini par s'épuiser ? Ou bien les morts s'étaient-ils tout simplement lassés de jouer avec nous ? D'une manière ou d'une autre, il était temps, pour l'équipe WISP, d'abandonner Munchkinland à ceux qui y étaient chez eux.

Après avoir rassemblé le gros de notre équipement, nous sommes retournés à la tombe sur laquelle nous avions disposé des pièces de puzzle plus tôt dans la soirée. Je voulais prendre une deuxième photographie et tout nettoyer. Mais en arrivant à la tombe, nous sommes restés estomaqués par ce que nous avons vu. La poudre de talc avait été dérangée. Les pièces de puzzle avaient été déplacées.

LES PREUVES

Preuve vidéo : WISP a réussi à capter trois séquences vidéo durant l'enquête sur Munchkinland. La preuve vidéo va comme suit :

1. Un caméscope haute définition, installé sur le clocher de la chapelle, a enregistré l'apparition d'une masse noire qui a momentanément pris une forme humanoïde, avant de s'estomper et de disparaître. Toutes les portes d'entrée et de sortie de la chapelle étaient restées verrouillées durant toute la soirée. Toutes les fenêtres étaient scellées en permanence. Aucune cause naturelle ne peut expliquer cette apparition.
2. Un caméscope infrarouge (IR) dressé sur les deux pierres tombales, où WISP avait documenté une éventuelle activité

paranormale répétitive a capté une forme humaine vaporeuse sortant de derrière une des pierres avant de faire quelques pas et de disparaître derrière la deuxième pierre tombale. Cela s'est passé très vite ; WISP ne peut donc pas affirmer que la vidéo est une preuve incontestable de présence paranormale. On pourrait attribuer cette séquence vidéo – intéressante et inhabituelle – à un phénomène naturel.

3. La même caméra IR dressée sur les deux pierres tombales a capté une portion de l'ombre énorme, semblable à une vague, qui a enveloppé la rangée d'arbres en bordure arrière de Munchkinland. Malheureusement, l'angle de la caméra ne donnait pas une vision panoramique des lieux, et ni le point d'origine de l'ombre, ni la rangée d'arbres, sur laquelle elle est venue se poser, n'ont été enregistrés. Cependant, l'aura bleue que nous avons aperçue au sommet de l'ombre est visible sur la vidéo.

Preuves photographiques : Bien que quelques-unes des photographies prises durant l'enquête montrent d'intéressantes anomalies, aucune preuve irréfutable d'activité paranormale n'a été captée par notre appareil photo.

Preuve physique : WISP a réussi à capter une seule preuve physique rare durant l'enquête. Après avoir examiné les photographies des pièces du puzzle que nous avions disposées sur la tombe d'un enfant, nous avons découvert que les pièces avaient effectivement été déplacées. La poudre de talc saupoudrée sur et autour des pièces avait été dérangée. Une empreinte de main partielle est apparente sur la poudre de talc. À en juger par la taille de l'empreinte, elle aurait été laissée par la main d'un enfant.

Note de l'auteur : Pour éviter toute confusion, dans l'examen des preuves audio recueillies durant l'enquête à Munchkinland, le terme *PVE* servira à décrire les sons et les voix inaudibles que nous avons captés sur enregistreur audio, ainsi que les sons et les voix captés sur enregistreur audio qui étaient audibles durant l'enquête.

Preuve audio : Une quantité impressionnante de preuves audio ont été captées et documentées durant notre enquête sur Munchkinland. La preuve est tellement écrasante, en fait, qu'il serait beaucoup trop long de dresser ici la liste de chaque occurrence en ordre chronologique, et sa lecture et son analyse, trop fastidieuses. Alors, pour abréger notre rapport, nous ne dresserons pas la liste exhaustive des PVE ; nous parlerons plutôt de quelques-uns des plus intéressants phénomènes audio que WISP a réussi à enregistrer.

De tous les PVE enregistrés à Munchkinland, seulement un petit nombre d'entre eux contenaient des mots perceptibles. Les PVE discernables étaient le mot *affreux* (en référence à mon chien Heidi), enregistré durant une enquête diurne, et le mot *vican,* enregistré durant les deux enquêtes nocturnes subséquentes. En fouillant dans de nombreux livres et sur Internet, je n'ai pu trouver une référence appropriée pour le mot *vican* (ou toute autre orthographe). Bien que plusieurs autres voix aient été captées durant nos enquêtes, les PVE restants n'étaient pas suffisamment clairs pour être déterminants du point de vue de l'activité paranormale ; nous avons donc dû les rejeter comme preuves.

Le reste des PVE captés étaient des cris, des ricanements, des grognements, des rugissements, des grommellements, des murmures et ainsi de suite. Contrairement à la plupart des PVE que nous découvrons seulement lors de l'examen des preuves, plusieurs des PVE étaient audibles au moment où ils ont été enregistrés. Nous avons trouvé que les PVE audibles étaient à glacer le sang et avaient un aspect fantastique. Jamais auparavant les membres de WISP n'avaient rencontré un nombre aussi extraordinaire de PVE audibles.

Les murmures et ricanements d'enfants étaient fascinants (sans parler de chair de poule), mais les PVE les plus troublants se sont sans doute produits après que nous ayons grossi notre boule d'énergie et que j'aie pu trouver l'emplacement exact d'une entité surnaturelle et susciter une réponse audible. Ce PVE audible était le gros grognement, le *Euh!* dirigé directement sur moi, après que j'aie pointé mon appareil photo sur ce que je croyais être l'entité. J'ai senti la force de l'énergie que dégageait le souffle de l'entité sur mon visage. Je me rappelle parfaitement avoir senti tous mes poils se dresser sur ma peau.

Le deuxième PVE audible dont je me souviens clairement est le *Ouou* fantomatique entendu directement dans mon oreille le soir où Becca et moi nous sommes aventurés seuls à Munchkinland. Le son collait tellement au « fantôme hollywoodien classique » que, si ce PVE audible n'avait pas résonné si près de mon oreille, j'aurais eu beaucoup de mal à croire que ce n'était pas un farceur qui me jouait un tour.

Les PVE enregistrés durant notre enquête à Munchkinland défient toutes les règles du manuel du paranormal. Aucune explication naturelle ne peut justifier l'abondance de voix et de sons étranges que nous avons captés sur nos enregistreurs audio.

CONCLUSION

Les quatre membres de WISP s'entendent pour dire que, centimètre par centimètre, Munchkinland est l'un des endroits les plus hantés du Midwest, et peut-être même de tous les États-Unis. Mesurant à peine plus d'une acre, Munchkinland recèle la plus importante activité paranormale que WISP ait rencontrée et documentée à ce jour.

Toutefois, l'activité paranormale à Munchkinland est aussi incroyablement inégale. Au cours des trois dernières années, WISP a enquêté sur Munchkinland neuf fois au total. Mais sur ces neuf fois, moins de la moitié de nos enquêtes ont permis de recueillir des preuves d'activité paranormale. On dirait qu'un genre de « bouton » paranormal régit les manifestations dans le cimetière. Lorsqu'une activité paranormale se produit effectivement à Munchkinland, elle est abondante et intense. Lorsque aucune activité ne se produit, Munchkinland est paisible et tranquille, presque serein. Quand Munchkinland est tranquille, il y règne un calme qui semble vous envahir et vous pénétrer jusqu'à l'âme. C'est comme si le cimetière lui-même guettait en silence les visiteurs inattendus, mais nous vous conseillerions de ne pas vous y fier.

WISP sait trop bien que, calme ou actif, Munchkinland est un piège paranormal qui attend patiemment de se refermer sur quiconque osera entrer sans permission chez les fantômes qui y sont chez eux.

CHAPITRE 4

LA LÉGENDE DU CHEMIN PRIMROSE

Enquête : le chemin Primrose et le cimetière de la rue Adams

Date du début : 13 octobre 2007

Lieu : South Bend, Indiana

LA LÉGENDE[5]

De toutes les histoires de fantômes dans le nord de l'Indiana, la légende du chemin Primrose, à South Bend, est de loin la plus aimée et la mieux connue des habitants de la municipalité. En fait, il est difficile de trouver des résidants du coin qui n'ont jamais entendu cette légende fascinante, voire qui ne sont pas allés y jeter un coup d'œil. J'ai grandi à moins de 50 km du chemin Primrose et je me souviens d'avoir entendu raconter cette légende depuis ma tendre enfance. Au fil des ans, la légende a pris une ampleur considérable et se concentre maintenant sur une série d'événements soi-disant surnaturels, que plusieurs conducteurs et leurs passagers ont affirmé avoir vécus en roulant sur le chemin Primrose, en particulier durant la nuit.

Ces événements incluent une ferme fantôme qui apparaît au hasard (mais disparaît avant que l'on puisse s'en approcher suffisamment pour y enquêter), des bruits mystérieux (dont le trot d'un

---

5. Sources : « Primrose Road » (www.angelfire.com/theforce/haunted/primroseroad.htm) et le site web de Indiana Ghost Trackers (www.indianaghosts.org).

cheval spectral) et des apparitions qui se déplacent dans le bois en longeant le bord de la route. De plus, la légende prétend qu'une jeune femme a été sacrifiée durant un rituel occulte près du chemin Primrose et, qu'au jour anniversaire de sa mort, on peut voir son fantôme reproduire le rituel.

L'une des facettes les plus fascinantes de la légende concerne des problèmes de voiture. Certains habitants du coin sont prêts à jurer que si vous roulez sur le chemin Primrose à 32 km/h exactement, les pneus de votre voiture seront entaillés et que, si vous roulez à 48 km/h exactement, votre véhicule rendra tout simplement l'âme. Dans un cas comme dans l'autre, vous serez obligé de marcher pour aller chercher du secours, et il paraît que les téléphones cellulaires ne sont d'aucune utilité sur le chemin Primrose.

Le cimetière de la rue Adams est attenant au chemin Primrose. Il est situé à seulement quelques pâtés de maisons et on dit qu'il a ses propres incidents fantomatiques. Bien qu'il soit loin d'être aussi fascinant que le chemin Primrose, le cimetière de la rue Adams a la réputation d'être hanté. Certains ont rapporté que des lumières étranges et des nuées surnaturelles émanaient du cimetière à la tombée de la nuit.

Même si une grande part de la légende du chemin Primrose paraissait assez peu probable, les rapports concernant des rituels occultes qui auraient été tenus dans les environs ont suffi à piquer la curiosité de WISP. Il nous a semblé tout à fait naturel d'aller enquêter sur le chemin Primrose et dans le cimetière de la rue Adams.

LES ENQUÊTES DIURNES

Comme le chemin Primrose est à moins de 30 minutes de route de notre base d'opérations, nous avions décidé de partir en reconnaissance en plein jour, histoire d'étudier la configuration du terrain.

Becca, notre guide résidante, avait planifié notre itinéraire, et c'est armés d'un appareil photo numérique que nous sommes partis pour South Bend, Indiana, et le chemin Primrose. Nous sommes arrivés à destination sans incident, mais en prenant l'embranchement menant au chemin Primrose, j'ai tout de suite été dérangé par ce que je voyais. Au lieu du chemin lugubre et hanté dont parlait la légende, nous nous retrouvions dans un enfer de banlieue.

Sur le coup, j'ai pensé que nous nous étions trompés de route, mais mes coéquipiers m'encourageaient à continuer. Après un kilomètre et demi environ, les quartiers bondés ont commencé à se raréfier, puis ont disparu d'un coup. C'est alors que la route pavée du chemin Primrose a été remplacée par un chemin de terre et de gravillons, tandis qu'au-dessus de nos têtes la cime des arbres formait un dais menaçant et effrayant, même en plein soleil. Au même moment, Becca et Sam ont regardé leur cellulaire. Aucun signal. Y avait-il une force surnaturelle occupée à supprimer les signaux des téléphones cellulaires? La légende du chemin Primrose se réalisait-elle?

Considérant l'éloignement relatif du chemin Primrose et l'épaisse canopée d'arbres, la présence de forces surnaturelles me paraissait peu probable. Il me semblait plus plausible que des forces ordinaires, terrestres, soient responsables de cette absence de signal.

Tout en continuant à rouler lentement sur la surface graveleuse du chemin Primrose, j'ai demandé à mes coéquipiers de s'ouvrir à toutes sensations ou impressions inhabituelles et d'expliquer aux autres tout ce qu'ils ressentaient. Environ 800 mètres plus loin, Amber et moi avons simultanément ressenti un inconfort et un profond sentiment de tristesse semblant émaner de quelque part dans les bois à proximité. J'avais remis le compteur de la fourgonnette à zéro au point où le chemin Primrose asphalté se changeait en chemin de gravier, et je notais maintenant le kilométrage, afin que nous puissions retrouver l'emplacement exact en revenant sur nos pas plus tard dans l'après-midi. Ne sentant rien d'autre d'inhabituel, j'avais décidé de tester une autre partie de la légende du chemin Primrose : le problème de conduite.

Même s'il faisait encore jour, ma curiosité a eu le dessus sur moi. Ayant atteint une vitesse de 32 km/h exactement, j'ai maintenu cette vitesse sur une distance approximative de 800 mètres. Rien ne se produisit. Cela ne m'a pas surpris, car je n'y croyais pas vraiment. Cette partie de la légende semblait tellement incongrue que cette seule pensée me mettait un sourire cynique sur le visage. J'ai appuyé sur l'accélérateur jusqu'à ce que le compteur atteigne exactement 48 km/h. La surface du chemin Primrose est tout sauf lisse et, même si l'augmentation de vitesse faisait brinquebaler la voiture, j'ai réussi à conserver une vitesse de 48 km/h. Puis un panneau stop est apparu au loin, mais il n'y avait rien d'autre que des arbres. Nous arrivions au bout du chemin soi-disant hanté.

J'allais appliquer les freins lorsqu'un truc qui ne m'était encore jamais arrivé avec ma fourgonnette s'est produit. Elle s'est mise à valser, à tousser et à se comporter comme si elle allait expirer d'un coup sec. Bien que le moteur n'ait jamais vraiment cessé de tourner, j'ai dû passer au neutre et amadouer l'accélérateur pour qu'il continue à tourner. La fourgonnette était sur son erre d'aller et cela a suffi pour nous rendre jusqu'au panneau stop, là où la fourgonnette a recommencé à tourner normalement. Dans la voiture, quelques secondes se sont écoulées dans un silence inconfortable. C'était comme si nous attendions tous qu'il se passe quelque chose de *réellement* bizarre. Mais il ne s'est rien passé. Sam m'a demandé si j'avais déjà eu des problèmes avec la fourgonnette. La réponse était un non catégorique. La fourgonnette ne m'avait jamais causé le moindre petit problème auparavant, et ce qui venait de se produire était tout simplement étrange. Sans attendre une explication naturelle ou surnaturelle pour l'étrange comportement de mon véhicule, j'ai tourné sur la rue Adams et nous sommes partis en direction du cimetière.

LE CIMETIÈRE DE LA RUE ADAMS

Il s'est avéré que le cimetière de la rue Adams, également connu comme le cimetière de Portage Prairie, était tout près du chemin Primrose. Les comptes rendus écrits des chasseurs de fantômes qui nous avaient précédés décrivaient seulement des lumières étranges et des nuées fantomatiques, de telle sorte que nous ne nous attendions pas vraiment à voir grand-chose en plein jour. Au premier coup d'œil, le cimetière de la rue Adams nous parut très ancien. On nous avait dit qu'il y avait des tombes datant du début du XIXe siècle et, à en juger par l'état de décrépitude de la grille de fer forgé et d'un grand nombre de pierres tombales, cela nous a semblé évident. Le cimetière est situé à la périphérie de plusieurs quartiers de taille moyenne, ce qui m'a fait aussitôt soupçonner que les étranges lumières et les nuées spectrales étaient d'origine terrestre. Mais il n'y avait aucun moyen de valider mes soupçons avant le coucher du soleil ; aussi ai-je demandé à mes coéquipiers de se disperser dans le cimetière et de voir s'ils pouvaient y déceler la moindre incongruité.

Au bout d'environ 15 minutes à inspecter les alentours et les pierres tombales, personne n'avait rien à rapporter. En fait, le cimetière de la rue Adams semblait bizarrement dépourvu d'impressions et de sensations surnaturelles. Amber avait bien repéré une pierre tombale de laquelle semblait se dégager une tristesse très similaire à celle que nous avions ressentie sur le chemin Primrose, mais son impression lui avait semblé bien faible en comparaison.

La plus ancienne tombe que nous ayons pu trouver avec une inscription lisible datait de 1856 et, même si certaines pierres tombales paraissaient encore plus anciennes, les années et les intempéries avaient eu raison de la surface de la pierre. Sans registre détaillé des enterrements, nous ne pouvions ni prouver ni réfuter les rapports disant qu'il y avait des tombes datant de bien avant le XIXe siècle dans le cimetière Adams. L'après-midi tirant à sa fin, nous avons décidé de retourner à notre base d'opérations et de nous préparer pour nos incursions nocturnes sur le chemin Primrose et dans le cimetière de la rue Adams. Nous étions loin de nous douter qu'un de ces deux emplacements allait se transformer en un univers tout à fait différent après le coucher du soleil, un monde grouillant de fantômes et d'activité paranormale.

LA NUIT TOMBE SUR LE CHEMIN PRIMROSE

La nuit avait fini par tomber. Il était temps de rassembler notre matériel de chasse aux fantômes, de faire le vide dans nos têtes et de retourner sur le chemin Primrose. Pendant que les femmes chargeaient la fourgonnette, Sam et moi parlions calmement d'une chose bizarre qui nous était arrivée plus tôt dans la journée, une chose dont nous nous demandions si nous devions en parler aux femmes ou pas. Au restaurant, nous avions tous les deux et simultanément eu un pressentiment qui nous avait beaucoup inquiétés – le pressentiment d'un coup de fusil sur le chemin Primrose. Nos pressentiments étaient-ils suffisamment importants pour annuler l'enquête ?

Même si, de toute évidence, il n'était pas question de faire fi de pressentiments impliquant un coup de fusil de chasse, nous n'avions pas eu l'impression que l'équipe courait un réel danger. Nous avons donc décidé de mener notre enquête comme prévu. Quelque chose, dans les pressentiments, nous semblait résiduel, comme s'il s'agissait d'une chose qui s'était déjà produite, plutôt que d'une chose qui allait se produire. Ayant décidé qu'il était dans le meilleur intérêt de l'équipe de ne pas inquiéter inutilement nos deux coéquipières, nous nous sommes tus et avons pris la route du chemin Primrose.

C'était une nuit froide d'octobre typique du nord de l'Indiana et, en approchant du chemin Primrose, nous avons été accueillis par un brouillard très dense. Des poussées de vapeur semblables à des doigts sortaient des bois et disparaissaient dans les immenses champs de maïs de chaque côté de la route. Le brouillard n'était rien d'autre qu'un vilain tour de Mère Nature, mais il contribuait grandement à donner un air lugubre aux environs de Primrose. Je m'étais fait une image assez claire de ce à quoi devait ressembler le chemin Primrose à la tombée de la nuit et, en prenant le chemin de terre et de gravillons, je n'ai pas été déçu. Si le chemin Primrose n'était pas hanté, me disais-je, il donnait certainement l'impression qu'il aurait pu l'être. L'épais tunnel créé par les arbres au-dessus de nos têtes était assez effrayant en plein jour, mais au crépuscule, le chemin Primrose devenait tout à coup un univers totalement différent. Il donnait carrément la chair de poule.

Sortant de mon étonnement, j'ai remis le compteur de la fourgonnette à zéro et nous sommes repassés à l'endroit où Amber et moi avions ressenti une grande tristesse plus tôt ce jour-là. En arrivant, j'ai garé la voiture sur l'accotement, j'ai éteint les phares et j'ai coupé le moteur. J'ai pris ma lampe de poche et j'étais sur le point de sortir de la fourgonnette lorsque ma femme, Becca, m'a tiré par le bras : « Marcus, il faut que nous sortions d'ici *tout de suite.* »

J'ai éclairé l'arrière de la fourgonnette avec ma lampe de poche. Ce que j'ai vu était très bouleversant. Becca et Amber tremblaient sur la banquette. Leurs visages étaient pâles, leurs regards glacés. « *Ça ne va pas du tout.* Il faut que tu nous sortes d'ici », a ajouté Amber.

Personnellement, je ne sentais rien d'inhabituel, mais au lieu de poser des questions à mes collègues, j'ai démarré et j'ai continué de rouler lentement sur le chemin Primrose. Après quelques minutes de silence inconfortable, j'ai demandé aux filles ce qui était arrivé. Pour une raison inexplicable, elles avaient eu un pressentiment écrasant à l'endroit exact où j'avais garé la fourgonnette. Elles avaient toutes deux senti cette impression se dissiper aussitôt que nous avions quitté cet endroit, et elles acceptaient de poursuivre l'enquête. Même si les filles paraissaient vraiment stables, j'ai pensé qu'il vaudrait peut-être mieux quitter le chemin Primrose pendant un moment. « Allons plutôt au cimetière de la rue Adams », ai-je suggéré. Elles ont accepté avec enthousiasme.

LA NUIT DANS LE CIMETIÈRE DE LA RUE ADAMS

Le cimetière de la rue Adams est situé au milieu de plusieurs quartiers de taille moyenne, détail qui m'a fait me méfier des comptes rendus d'activité paranormale dans le cimetière. En entrant dans le cimetière faiblement éclairé, nous avons tous les quatre senti la même chose que nous avions sentie plus tôt dans la journée : absolument rien. Même à la nuit tombée, le cimetière de la rue Adams ne nous procurait pas d'autres impressions ou sensations surnaturelles. Malgré que le cimetière semble receler très peu d'authentique activité paranormale, j'ai quand même demandé à mes coéquipiers d'en faire le tour pour voir s'ils pourraient découvrir quelque chose d'inhabituel.

Au bout de 30 minutes environ, personne n'avait quoi que ce soit à signaler. Mais Becca avait pris quelques photos numériques et, en regardant quelques-uns de ses clichés, nous avons cru voir les lumières que d'aucuns avaient qualifiées d'étranges. En utilisant les pierres tombales comme points de repère, nous avons été en mesure de retrouver les emplacements exacts où les photographies avaient été prises.

Sans surprise, il s'est avéré que les « étranges lumières » n'étaient rien d'autre que les lumières des maisons et des lampadaires du voisinage, qui scintillaient à travers les arbres et les buissons. « Mais, que sont donc ces étranges nappes de brouillard ? » ai-je demandé.

Comme pour répondre à ma question, dans l'allée située de l'autre côté de la rue du cimetière, une voiture a démarré. Un épais nuage de gaz d'échappement gris bleu a traversé la rue et est arrivé en tourbillonnant aux abords du cimetière. Cela mettait un terme aux soi-disant lumières fantomatiques et aux brumes étranges dans le cimetière Adams. Comme il ne se passait rien d'inhabituel dans le cimetière, l'équipe décida qu'il était temps de retourner sur le chemin Primrose et de poursuivre notre enquête. Comparativement à ce qui s'est produit à notre retour là-bas, la prémonition que les filles avaient eue plus tôt nous a semblé bien peu de chose.

IMPORTANTE NOTE DE L'AUTEUR

Avant de continuer, parlons un peu de ce que l'on connaît sous le nom de « manipulation d'énergie ». Dans le compte rendu ci-après, vous verrez comment, à un moment donné, j'ai utilisé la manipulation d'énergie pour tenter de communiquer avec les morts. À moins que vous n'ayez une profonde connaissance des pratiques occultes, plus particulièrement de la sorcellerie, le concept de manipulation d'énergie pourrait vous sembler un brin ridicule, peut-être même risible. Je vous assure que non seulement la manipulation d'énergie est réelle, mais un expert de la pratique peut s'en servir pour induire un changement immédiat.

Des formes différentes de manipulation d'énergie occulte incluent la création d'un espace protégé ou « sûr », créant des boules ou « bulles » d'énergie, et réduisant les murs entre le monde des vivants et celui des morts, entre le visible et l'invisible. Bien que l'énergie manipulée ne soit normalement pas perceptible à l'œil nu, on peut la sentir et, dans certains cas, la mesurer. Ces dernières années, des tentatives scientifiques de quantifier l'énergie psychique ont produit des résultats intéressants. Si vous voulez en savoir plus sur certaines des approches scientifiques utilisées pour mesurer l'énergie psychique, je vous suggère d'utiliser les mots clés *vérification scientifique d'énergie psychique* (ou des expressions connexes) dans Google. Lisez quelques-uns des liens que vous trouverez. Vous pourriez être surpris.

Lorsque mise dans le bon contexte, la manipulation d'énergie occulte n'est pas difficile à comprendre. La science nous dit que tout est fait d'énergie, littéralement. Vous êtes énergie ; je suis énergie ; la table de votre salle à manger est énergie ; nos ordinateurs sont énergie ; le sol sous nos pieds est énergie. Ces énergies prennent simplement des formes différentes. La façon dont un praticien de l'occulte manipule l'énergie n'est pas tellement différente de la façon dont vous manipulez vous-même l'énergie. Comme l'énergie elle-même, nous utilisons différentes formes de manipulation.

Essayez ceci. Imaginez que vous prenez une balle de baseball (en apparence une boule d'énergie solide) et que vous la tenez dans votre main. Que faire avec cette balle ? Vous pouvez la transporter dans votre poche ou l'utiliser pour jouer à attraper la balle avec votre enfant dans la cour arrière. Vous pouvez vous en servir pour briser une vitre ou bien la lancer dans un étang pour voir les éclaboussures qu'elle peut produire. Tout comme vous pourriez utiliser cette balle de baseball pour induire une série de résultats ou créer un changement dans le monde physique, les praticiens de l'occulte utilisent leur esprit et leur volonté pour rassembler ce que l'on connaît sous l'appellation d'« énergie universelle », et s'en servent comme bon leur semble.

Si vous ne croyez pas qu'une telle manipulation d'énergie soit possible, cela ne me pose pas de problème. Nous avons tous nos convictions et nos opinions, et je n'ai nulle intention de changer les vôtres. Je vous ferai toutefois remarquer que la foi est une chose très puissante. Si vous ne croyez pas à la manipulation de l'énergie occulte, c'est précisément votre incrédulité qui vous fera échouer si vous tentez le coup – tout comme j'échouerais à faire une chose que je ne croirais pas pouvoir accomplir.

Les enquêteurs du paranormal, qu'ils soient chrétiens ou sorciers, scientifiques ou médiums, amateurs ou professionnels, croient tous la même chose : *les fantômes existent.* C'est cette conviction, peu importe quel procédé nous utilisons pour enquêter, qui fait que nous poursuivons notre quête de l'inconnu. C'est cette conviction qui fait que nous continuons à chercher une chose dont nous savons qu'elle existe, mais sur laquelle nous n'arrivons pas encore à mettre le doigt ; une chose qui dépasse ce que nous pouvons voir de nos yeux et toucher de nos mains. Comme la manipulation d'énergie occulte, les fantômes sont une chose que la plupart d'entre nous ne comprennent pas vraiment. Ils sont surnaturels.

LES FANTÔMES DU CHEMIN PRIMROSE

En quittant le cimetière de la rue Adams pour retourner sur le chemin Primrose, je sentais bien que notre moral était au plus bas. L'enquête sur le cimetière avait été un fiasco total, et la seule preuve d'activité paranormale que nous ayons pu recueillir était la prémonition extrême que Becca et Amber avaient eue sur le chemin Primrose en début de soirée. Je me disais : *ce n'est pas un début très prometteur.* Cherchant à nous mettre de meilleure humeur, Sam sortit son cellulaire et fit une remarque cocasse sur « les fantômes qui font des appels téléphoniques ». Pour ne pas être en reste, Becca sortit le sien et ils se mirent à échanger des quolibets sur les signaux des téléphones et sur la légende du chemin Primrose. Bientôt, toute l'équipe riait et se moquait du ridicule de cette partie de la légende.

Au moins avons-nous ri pendant quelques minutes. Dès que nous nous sommes retrouvés sur la surface graveleuse du chemin Primrose, les rires ont cessé abruptement. Dans le silence menaçant qui les a remplacés, j'ai arrêté la fourgonnette et allumé le plafonnier. Becca et Sam fixaient leurs téléphones cellulaires comme s'ils ne les avaient jamais vus auparavant. « La vache ! » s'est exclamée Becca. « Le tien aussi ? » a-t-elle demandé à Sam en tournant son téléphone dans sa direction. « Ouais, le mien aussi », a répondu Sam calmement. En l'espace de quelques secondes, les piles des deux cellulaires étaient passées simultanément d'une charge maximale à rien du tout. Les deux téléphones étaient hors d'usage. On aurait dit que les esprits du chemin Primrose n'appréciaient pas qu'on se moque d'eux.

En silence, j'ai garé la fourgonnette sur l'accotement et j'ai éteint le moteur. Même si personne ne parlait, il était évident que l'état d'esprit de l'équipe WISP avait pris une tangente plus sérieuse. De plus en plus curieux et déterminés à trouver *quelque chose,* nous avons rassemblé notre matériel de chasse et sommes sortis du véhicule.

Il est difficile de comprendre la totale noirceur du chemin Primrose après la tombée de la nuit, à moins d'avoir soi-même déjà fait l'expérience de ce genre d'obscurité. Sans source de lumière, vous n'arrivez même pas à distinguer votre propre main devant vos yeux. Souhaitant réduire au minimum l'usage de nos lampes de poche, j'ai demandé à mes camarades s'ils seraient d'accord pour que nous utilisions les clignotants de la fourgonnette en guise de source de lumière tamisée. Ma suggestion fut accueillie avec une bonne part de résistance. Mes coéquipiers comprenaient que l'usage des clignotants ajouterait un facteur de sécurité à l'enquête, mais Becca et Amber craignaient que les lumières clignotantes ne contaminent le tournage vidéo et les photographies qu'elles prévoyaient prendre. Cédant à leur logique, j'ai attaché mon enregistreur numérique à ma veste en cuir et nous avons commencé à avancer lentement sur le chemin Primrose.

Après quelques minutes de marche, j'ai aperçu des phares au loin qui venaient dans notre direction. J'ai fait signe aux autres de se ranger sur l'accotement et d'attendre que le véhicule nous ait dépassés. Becca avait commencé à prendre des photos numériques aussitôt que nous nous étions mis en marche. Sur l'écran, plusieurs des photos révélaient des orbes, lesquels n'étaient rien de plus que des particules de poussière qui flottaient dans l'air, illuminées par le flash de l'appareil, mais Becca ne s'amusait pas moins.

Pendant que la voiture approchait, Becca préparait son appareil pour prendre d'autres clichés. Au moment où le véhicule nous dépassait, elle a pris une photo, a regardé dans le viseur, et s'est esclaffée. « Il faut que vous voyiez ça, a-t-elle dit en riant. C'est le rêve secret d'un chasseur de fantômes amateur! » Nous l'avons entourée, avons regardé la photo et nous sommes mis à rigoler. Le viseur de l'appareil révélait des milliers, peut-être des millions d'orbes. « Génial! » me suis-je exclamé en secouant la tête à l'idée que quelqu'un pourrait prendre cette image au sérieux. J'ai alors aperçu les phares d'un deuxième véhicule qui venait vers nous. « N'y a-t-il pas moyen d'avoir un peu de paix et de tranquillité? » ai-je lancé à haute voix.

Ce qui s'est produit ensuite n'a pas de prix.

Le véhicule se rapprochant de nous et commençant à ralentir, mon esprit s'est mis à répéter mes tirades d'« explication à la police » et autres phrases du genre « nous n'avons pas besoin d'aide ». Mais au lieu d'une voiture de police ou d'un garagiste venu nous dépanner, un vieux Chevy Blazer bleu s'est rangé sur le bas-côté et a éteint le moteur. Quelqu'un a baissé la vitre côté passager et une jeune voix anxieuse a demandé : « Êtes-vous là pour chasser les fantômes vous aussi? »

J'ai allumé ma lampe de poche et éclairé l'intérieur du Blazer. Ce que j'ai vu m'a fait sourire. Derrière le volant du Blazer, un adolescent de 17 ans environ, l'air passablement excité. À côté de lui, sur le siège du passager, une jeune fille qui faisait de son mieux pour ne pas avoir l'air effrayée. Elle souriait, mais ses yeux disaient tout autre chose. J'ai dit au jeune homme qu'en effet nous menions une enquête paranormale et que nous n'avions encore rien découvert. Après avoir posé quelques questions à notre équipe sur ce que nous connaissions du chemin Primrose, l'adolescent s'est excusé poliment, a fait faire demi-tour au Blazer et s'en est retourné d'où il était venu.

Dix mètres plus loin environ, il s'est arrêté et a ouvert la portière du camion. Dans le faisceau des phares du Blazer, il a fait quelques pas jusqu'à l'orée du bois. Sa main n'a jamais quitté la portière. Au bout d'un moment, il s'est retourné et a semblé répondre à ce que sa copine lui disait. Une seconde plus tard, il sautait dans le Blazer, claquait la portière et écrasait l'accélérateur.

Après quelques remarques des femmes de WISP qui disaient comme « c'était mignon » de voir le jeune homme emmener sa petite amie pour lui donner un petit frisson d'horreur, nous avons reporté notre attention sur la tâche qui nous attendait et avons repris notre marche lente sur le chemin Primrose. J'ai très vite eu l'impression désagréable que l'on nous observait. Soudain, près de nous dans le bois, nous avons entendu un gros grognement venu de nulle part. Nous sommes tous restés figés sur place.

Avant qu'un deuxième grognement ne nous arrive de l'autre côté de la route, j'ai eu le temps de dire : « Bon sang, mais qu'est-ce que c'est que ça ? » Silencieux, immobiles, nous étions au milieu du chemin Primrose, tendant l'oreille aux bruits de la nuit. Deux autres grognements se sont fait entendre dans le noir, encore plus près de nous. Comme si nous lisions dans nos pensées mutuelles, nous avons allumé nos lampes de poche à l'unisson et avons inspecté la rangée d'arbres afin d'y découvrir un signe de vie. Rien. À tout le moins rien de visible dans les faisceaux de nos lampes de poche. J'ai articulé : « On aurait dit un cheval. » Mes coéquipiers pensaient la même chose. Même s'il y avait probablement une explication rationnelle et naturelle à ces grognements, le scénario était troublant. À part les grognements, il n'y avait aucun autre bruit autour de nous. Nous n'entendions même pas craquer une branche ou bruisser une feuille. L'être qui se cachait dans les bois et qui grognait ainsi ne semblait certainement pas effrayé par nos lampes de poche. Ou par nous. Si c'était un animal, il n'a jamais bougé. Jamais.

Nous avions pu déduire que ce qui avait grogné de la sorte était gros, probablement de la taille d'un élan ou d'un cheval adulte. Mais il y avait un problème : cette explication n'avait aucun sens. J'ai souvent croisé des chevreuils dans la forêt en pleine nuit, et laissez-moi vous dire qu'un chevreuil qui marche dans les bois est tout sauf silencieux. Les chevreuils peuvent demeurer immobiles pendant longtemps, mais aussitôt qu'ils sentent la présence d'humains qui parlent et braquent leurs lampes de poche, c'est *adios, muchachos*.

La théorie du cheval n'était pas plus plausible. Les chances étaient extrêmement minces qu'un cheval reste sans bouger dans le bois en pleine nuit et qu'il hennisse sans produire aucun autre bruit. Rien n'expliquait non plus pourquoi les grognements semblaient provenir des deux côtés du chemin. La chose qui avait grogné dans le noir semblait bien décidée à demeurer mystérieuse. Sans explication rationnelle, nous avons repris notre marche de plus en plus étrange sur le chemin Primrose.

Pendant que nous marchions, Becca prenait des photographies et Amber restait à l'affût de toute impression ou sensation étrange. Mais aucun de nos instruments de chasse aux fantômes ne semblait enregistrer quoi que ce soit, et il ne semblait rien se passer d'inusité sur le chemin Primrose, à part l'épuisement inexplicable des piles de nos cellulaires et ces étranges grognements. J'étais sur le point de suggérer à mes coéquipiers d'utiliser une approche métaphysique pour établir la communication quand, tout à coup, j'ai senti mon corps devenir incroyablement lourd et l'air s'épaissir autour de moi. J'avais l'impression de traverser un mur de miel invisible.

J'ai dit à mes camarades : « Il y a quelque chose ici. L'air est devenu lourd. » À cet instant précis, nous arrivions près d'une ouverture dans les arbres qui révélait un petit champ où régnait une lumière diffuse.

Ce qui s'est produit par la suite a laissé peu de doute dans nos esprits quant au fait que le chemin Primrose est l'un des lieux les plus hantés dans le nord de l'Indiana.

J'ai du mal à mettre des mots sur ce qui s'est passé, mais je ferai de mon mieux. En franchissant l'ouverture dans les arbres, j'ai commencé à entendre ce qui ressemblait à de légers murmures. Je me suis arrêté et suis resté là sans bouger pour mieux me concentrer sur les bruits, lorsque soudain, j'ai senti la présence d'une entité fantomatique. Elle tentait de se manifester dans le champ. Et elle n'était pas seule. Je sentais la présence d'une autre entité, puis d'une autre. En tout, j'ai senti entre sept et neuf entités distinctes, en groupes serrés, à environ neuf mètres de nous dans le champ. Il y avait un nombre incroyable d'entités. Pendant un instant, j'ai eu l'impression de ne plus être dans la réalité. J'ai focalisé mes yeux, mes oreilles et mon esprit et je me suis demandé : *Sont-elles vraiment là ?*

La réponse était *oui*. Leurs murmures tranquilles prenaient de la force. J'entrevoyais leurs silhouettes floues se mouvant dans le champ faiblement éclairé. La meilleure manière d'expliquer à quoi ressemblaient ces entités serait de dire qu'elles semblaient légèrement déphasées par rapport au monde des vivants. Elles avaient des contours et des formes définis, mais elles semblaient fluctuer et changer comme des ombres projetées sur un mur par la flamme vacillante d'une bougie. D'une voix forte et ferme, j'ai ordonné : « Présentez-vous à moi. »

Les murmures ont semblé s'amplifier ; les formes indéfinies sont devenues plus actives. Était-ce en réaction à ma demande ?

J'ai pensé qu'il était temps de vérifier une théorie concernant les entités spectrales. Il était temps de mettre mes talents métaphysiques à l'épreuve.

Une idée très répandue – et crue – veut que les fantômes aient besoin d'une source d'énergie autre que la leur propre pour se matérialiser sur le plan terrestre. Voulant tenter de prouver cette théorie, j'ai créé une grosse boule d'énergie que j'ai concentrée dans le champ, directement devant ces silhouettes floues. Cela a semblé produire un effet, quoique pas exactement celui que j'avais espéré.

J'ai dit aux entités, à haute voix, que j'avais créé la boule d'énergie et que je serais ravi qu'elles s'en servent au besoin. Je me suis concentré – esprit et volonté – sur la boule d'énergie au cas où elle aurait besoin d'être renforcée. Après quelques minutes, j'ai senti la main d'Amber sur mon épaule. Elle projetait elle aussi de l'énergie dans la boule, afin d'aider à la garder forte et stable. Même si aucune des entités ne s'est pleinement manifestée, les images qui sont apparues dans la boule d'énergie étaient impressionnantes à voir. Il était évident que les entités étaient intéressées par la boule d'énergie, mais il était tout aussi évident qu'elles ne savaient pas quoi en faire.

La meilleure façon de décrire ce que nous voyions est de comparer la boule d'énergie à un immense globe de verre rempli de neige, dans lequel on injecterait lentement de l'encre noire. Les ombres et les formes dans la boule d'énergie semblaient être fluides et flottantes, alors que les ombres en dehors de la boule semblaient statiques et immuables. Lorsque j'ai redemandé aux entités de se manifester, l'activité à l'intérieur de la boule d'énergie a augmenté considérablement. Je sentais bien que les entités fantomatiques tentaient d'utiliser l'énergie disponible. L'activité à l'intérieur de la boule a augmenté de façon exponentielle... puis, juste comme je sentais qu'une ou plusieurs entités étaient sur le point de se manifester, elles ont disparu sans laisser de trace. Leurs voix murmurantes et leurs formes flottantes se sont fondues dans les ténèbres.

La sensation écrasante d'une présence surnaturelle puissante a disparu aussi vite qu'elle était apparue.

J'étais là, avec mes coéquipiers, sur l'accotement. Nous avions du mal à croire ce qui venait de nous arriver. Nous avions la réponse à la question que nous nous posions, à savoir si oui ou non le chemin Primrose était hanté.

Nous restions plantés là, mais au bout de quelques minutes passées à surveiller les environs en silence, nous n'avons rien vu d'autre. Ce qui nous était apparu dans cette partie sombre et isolée du chemin Primrose ne semblait pas vouloir revenir. Nous avons décidé de retourner à l'endroit où était garée la fourgonnette et de faire enquête sur l'extrémité opposée de la route. Pendant que nous marchions, Becca continuait à prendre des photos numériques et je continuais à prier les fantômes de sortir de leur cachette. Notre matériel de chasse aux fantômes n'enregistrait rien, et mes appels à haute voix pour reprendre la communication restaient lettre morte.

Après quelques minutes de marche, nous avons dépassé la voiture et atteint la dernière extrémité du chemin Primrose, que nous n'avions pas encore investiguée. Nous venions à peine de dépasser la fourgonnette lorsque les choses sont redevenues bizarres. Amber disait entrevoir des éclairs de lumière fantomatique se déplacer dans les bois. Becca se plaignait de ressentir une impression désagréable qui s'intensifiait. Une minute plus tard, elle ajouta qu'elle se sentait étrangement indésirable dans cette section du chemin Primrose et que son malaise s'intensifiait chaque fois qu'elle prenait une photo.

J'ai demandé à Amber si ces éclairs de lumière pourraient être causés par le flash de l'appareil photo de Becca. Elle a répondu qu'elle n'était pas sûre de ce qui pouvait causer ces curieux éclairs, mais qu'elle commençait elle aussi à se sentir importune ici. Au bout d'un bref moment, la sensation que les femmes avaient de ne pas être les bienvenues était devenue tellement intense qu'elles ont déclaré ne pas pouvoir continuer à enquêter plus longtemps. Becca m'a demandé les clés de la voiture, et elle et Amber sont retournées à la sécurité relative de la fourgonnette.

Contrairement à nos femmes, Sam et moi nous sentions tout à fait à l'aise dans cette section de la route. Enfin, nous nous sommes sentis bien pendant une minute ou deux. Après avoir franchi quelques pâtés de plus sur le chemin dans l'obscurité, j'ai allumé ma lampe de poche et j'ai scruté la rangée d'arbres et la route devant nous. J'ai dit à Sam que je croyais que nous étions près de l'endroit où j'avais garé la voiture, la première fois que nous étions venus, plus tôt dans l'après-midi. Il a fait signe que oui et a dit qu'Amber et Becca avaient dû avoir le même genre de pressentiment qui les avait obligées à s'éloigner du chemin Primrose.

Puis, encore une fois, j'ai commencé à entendre des murmures ; j'ai éteint ma lampe de poche et j'ai tendu l'oreille. Les voix se firent plus fortes. Loin devant nous, dans le bois, des lumières avançaient dans notre direction. Aha ! Ces voix et ces lumières étaient d'origine naturelle. Il semblait qu'un petit groupe de personnes munies de lampes de poche venait vers nous. J'allais dire à Sam que le groupe qui approchait était probablement une autre équipe de chasseurs de fantômes et que nous devrions nous en assurer quand, tout à coup, une oppressante sensation de danger m'a submergé telle une vague invisible. Sam avait éprouvé la même sensation.

C'est à cet instant précis que nous avons compris ce qui se passait. Nous avons chuchoté les mêmes mots dans l'obscurité, Sam et moi : *coup de fusil*. Nous ne pouvions plus douter que les pressentiments de coups de fusil que nous avions eus tous les deux sur le chemin Primrose plus tôt ce jour-là risquaient de se réaliser. Nous étions quasi certains d'être blessés si nous restions où nous étions. Pire, peut-être. Un soudain sentiment d'urgence s'est emparé de nous. Et un fort instinct de survie nous a poussés à réagir.

Les bois qui entourent le chemin Primrose sont une propriété privée, et nous le savions. Des écriteaux orange brillant indiquant *Passage interdit* avaient été plantés tout le long de l'accotement.

Même si aucun membre de notre équipe n'avait violé le caractère privé de la propriété, l'impression que le danger nous guettait perdurait.

Avançant aussi vite que nous le pouvions, nous nous sommes rués sur la fourgonnette. Dans ce cas, la discrétion était effectivement la valeur la plus sûre. L'équipe WISP s'est hâtée de fuir les humains et les esprits qui hantaient le chemin Primrose.

LES PREUVES

Preuves photographiques : Aucune preuve photographique d'activité paranormale n'a été captée durant notre enquête.

Preuves audio : Bien qu'ils aient été indiscernables et à peine audibles sur le coup, de multiples PVE ont été captés sur nos enregistreurs numériques durant l'enquête sur le chemin Primrose. Nous avons capté six PVE distincts sur place. Les six exemples enregistrés donnent l'impression d'émaner de différentes entités. Vous trouverez ci-après les interprétations que notre équipe a données de ces PVE.

LES PVE DU CHEMIN PRIMROSE EN ORDRE CHRONOLOGIQUE DE CAPTATION

1. Enquêteur : « Nous ne sommes pas venus pour vous faire du mal ou quoi que ce soit. » On entend une voix de femme disant : « Feront pas de mal. » On peut détecter un accent britannique dans la voix.

2. Enquêteur : « Montrez-vous. » À cet instant, trois PVE séparés furent captés sur l'enregistreur. La première voix, celle d'un enfant (garçon ?), dit ceci : « Peux pas maintenant. » La deuxième voix, masculine, dit : « Attrape. » La troisième voix, également masculine, dit : « Important. »

Cette dernière est distincte des autres et son timbre est quasi électronique. Plus tard, en écoutant attentivement la bande audio, nous avons entendu la voix répéter le mot important une seconde fois. Fait intéressant, la deuxième fois que l'on entend la voix, l'enquêteur s'arrête au milieu d'un mot, comme s'il avait été interrompu par une voix désincarnée.

3. Enquêteur : « Pouvez-vous répéter je vous prie ? » La voix désincarnée : « Jamais. »

4. Une voix désincarnée dit « trop bien » ou « gros chien », juste avant que l'enquêteur ne dise : « Très noir ici. » Le timbre de cette voix est beaucoup plus bas que les autres et nous avons eu du mal à l'entendre au début. Toutefois, de tous les PVE captés durant l'enquête, cette voix est peut-être la plus troublante, en raison de son timbre lugubre, quasi animal.

CONCLUSION

Le chemin Primrose semble être à la hauteur de sa réputation de chemin hanté. Même si aucune preuve photographique n'a été saisie durant l'enquête, nous avons le sentiment que les preuves audio parlent d'elles-mêmes (sans jeu de mots) et viennent soutenir plusieurs des expériences que nous jugeons paranormales de nature. Néanmoins, plusieurs des expériences de l'équipe, bien qu'elles aient paru bizarres, pouvaient être expliquées de façon naturelle et ne peuvent pas être considérées comme des preuves d'activité paranormale – bien que certaines de nos expériences (l'épuisement soudain des piles de nos cellulaires, les étranges grognements dans les bois et les problèmes avec la voiture) semblent renforcer la légende du chemin Primrose.

De loin, notre expérience la plus troublante sur le chemin Primrose fut la rencontre de multiples entités spectrales. Même si elles ne semblaient pas menaçantes, leur nombre nous a fait réfléchir et de nombreuses questions sont restées sans réponse, dont celle-ci, et non la moindre : « Toutes ces entités étaient-elles indigènes au chemin Primrose ? »

En tant que praticiens des arts occultes, nous savons qu'il n'est pas inusité que fantômes et esprits soient attirés vers l'aura rehaussée d'énergie qui nous entoure naturellement. Même si WISP possède une règle de procédure qui implique d'ériger une barrière pour empêcher les entités non indigènes d'entrer et de contaminer un site d'enquête paranormal, la rencontre sur le chemin Primrose nous a obligés à remettre en question l'efficacité de cette barrière dans ce cas particulier. Les membres de WISP s'entendent pour dire que quelques-unes (mais pas toutes) des entités que nous avons rencontrées sur le chemin Primrose étaient indigènes à la région.

Une autre facette fascinante, mais quelque peu troublante de la rencontre, c'est l'échange verbal qui a eu lieu entre les entités spectrales et moi-même. Cinq des six PVE captés sur place révèlent que les entités ont répondu directement à nos questions et à nos demandes. L'interaction indique que les apparitions du chemin Primrose sont intelligentes plutôt que résiduelles, démontrant par le fait même un nombre particulièrement élevé d'entités intelligentes conscientes, concentrées en un même lieu.

Puis il y a un bout du chemin Primrose qui semble engendrer sans cesse des sensations de tristesse et des pressentiments, et qui a fait que nos deux coéquipières se sont senties indésirables. C'est également dans cette section du chemin Primrose que nous nous sommes sentis menacés par la possibilité que se réalisent nos prémonitions de coups de fusil, Sam et moi. À l'évidence, la chose qui hante cet endroit ne veut pas être dérangée. À mon avis, qu'elle soit humaine ou spectrale, naturelle ou surnaturelle, il vaut mieux ne pas déranger la chose qui rôde dans cette partie du chemin Primrose.

Notre enquête sur le chemin Primrose a d'abord et avant tout été une intrusion fascinante et productive dans le monde surnaturel. Cela ne fait plus aucun doute dans mon esprit que le chemin

Primrose est hanté et qu'il est fort probablement un incubateur d'activité paranormale.

Néanmoins, en ce qui me concerne, la plus fabuleuse rencontre que j'aie faite sur le chemin Primrose n'a pas été avec les morts, mais avec les vivants. Même si j'ai vécu plusieurs événements surnaturels fascinants durant l'enquête, je ne les échangerais pas contre la chance que j'ai eue de croiser l'adolescent et sa petite amie dans le Chevy Blazer. Certes, le monde des fantômes et du surnaturel est magique, mais plus magiques encore sont les souvenirs de mes années de jeunesse, lorsque j'emmenais une copine faire une petite virée nocturne sur un chemin hanté, dans l'espoir de lui faire peur au point qu'elle se colle tout contre moi. C'est ainsi que naissent les légendes.

CHAPITRE 5

25ᴱ RUE NORD
JEFFREY DAHMER

Enquête : ancien site de l'immeuble
à logements de Jeffrey Dahmer

Date du début : 14 juin 2008

Lieu : Milwaukee, Wisconsin

L'HISTOIRE MACABRE DE JEFFREY DAHMER, TUEUR EN SÉRIE[6]

Il n'y a sans doute pas un homme ou une femme, en Occident, qui n'ait jamais entendu parler de Jeffrey Lionel Dahmer. Entre 1978 et 1991, Dahmer a assassiné 17 hommes et garçons, dont la plupart étaient d'origine africaine ou asiatique. Bon nombre des meurtres de Dahmer furent particulièrement horribles, incluant torture, viols, nécrophilie, voire cannibalisme.

La petite enfance de Dahmer semble avoir été normale, au moins jusqu'à l'âge de 10 ans. C'est alors qu'il a arrêté de faire les activités que font les enfants normaux et qu'il a commencé à s'intéresser à tout ce qui concernait la mort. Il était réputé se promener à bicyclette dans son quartier, afin de ramasser des cadavres d'animaux morts qu'il ramenait à la maison pour les disséquer. De nombreux experts croient que c'est à cette étape

---

6. Parmi les sources en ligne qui m'ont aidé dans ma recherche, il y a « Jeffrey Dahmer Biography », Biography.com (www.biography.com/articles/Jeffrey-Dahmer-9264755) ; et Charles Montaldo, « Profile of Serial Killer Jeffrey Dahmer », About.com (http://crime.about.com/od/serial/a/dahmer.htm).

de sa vie qu'un goût insatiable de l'horreur et du bizarre s'est emparé de lui.

Dahmer a commis son premier meurtre durant l'été 1978, alors qu'il vivait toujours avec son père, à Bath, en Ohio. Il avait fait monter un jeune auto-stoppeur nommé Steven Hicks, l'avait ramené à la maison et avait eu une relation sexuelle avec lui, avant de le frapper à mort avec une barre de fer. Dahmer n'a pas commis d'autre meurtre pendant neuf ans ; Steven Tuomi fut sa deuxième victime. Après l'assassinat de Tuomi, Dahmer a continué à tuer sporadiquement, dénichant habituellement ses proies dans des bars gais et les tuant après avoir eu des rapports avec elles.

En mai 1990, Dahmer emménagea au 924, appartement 213, de la 25ᵉ rue Nord à Milwaukee, dans le Wisconsin. C'est là qu'il perpétra ses autres meurtres (connus). Au début de l'été 1991, Dahmer assassinait environ une personne chaque semaine.

Dahmer fut arrêté le 22 juillet 1991, après que Tracy Edwards, une des victimes qu'il avait tenté de tuer, se soit échappée de son appartement et ait intercepté les agents Robert Rauth et Rolf Mueller du Service de police de Milwaukee, qui patrouillaient ce soir-là. Après qu'Edwards eût expliqué aux policiers que Dahmer avait essayé de lui enfiler des menottes et l'avait menacé avec un couteau de boucher, Rauth et Mueller se sont rendus à l'appartement de Dahmer pour l'interroger. Au début, Dahmer semblait normal et a été poli avec les agents, mais ils l'ont vite trouvé suspect et sont entrés chez lui de force. Une fois à l'intérieur, ils découvrirent une des scènes de crimes les plus effroyables de l'histoire américaine.

En inspectant la chambre où Tracy Edwards disait avoir été menacé avec un couteau par Dahmer, un des officiers découvrit des photographies de corps mutilés. Il demanda à son collègue d'arrêter Dahmer. En fouillant le reste de l'appartement, les agents découvrirent une tête coupée dans le réfrigérateur, de nombreuses photographies de victimes assassinées et démembrées, et diverses parties de corps, dont des têtes, des mains et des pénis. Il y avait aussi plusieurs cadavres conservés dans des cuves remplies d'acide et des outils devant vraisemblablement servir à construire un autel, ainsi que des chandelles, des ossements humains et des crânes.

Dahmer fut d'abord inculpé de 17 meurtres, mais ce nombre allait être réduit à 15. Son procès commença en janvier 1992. Les preuves contre lui étant accablantes, il plaida non coupable en raison d'aliénation mentale, mais la cour déclara Jeffrey Dahmer sain d'esprit et coupable des 15 chefs d'accusation pour meurtre et le condamna à 15 sentences à vie consécutives.

Il commença à purger sa peine à l'institut correctionnel Columbia, à Portage, dans le Wisconsin, mais le 28 novembre 1994, alors qu'il s'entraînait au gymnase de la prison, un codétenu nommé Christopher Scarver le battit sévèrement à l'aide d'une barre d'haltérophilie. Dahmer succomba à ses blessures pendant son transport à l'hôpital en ambulance. Étrangement et comme un juste retour des choses, Jeffrey Lionel Dahmer fut battu à mort de la même manière qu'il avait assassiné sa première victime, Steven Hicks.

PREMIER CONTACT

En juin 2008, Twofour Broadcasting (qui filmait des épisodes du docudrame britannique *Conversations with a Serial Killer*), contacta WISP pour mener une enquête sur l'ancien site de l'immeuble ayant abrité l'appartement de Jeffrey Dahmer. Même si l'immeuble avait été démoli après la condamnation de Dahmer, la propriété était demeurée vacante. On nous a informés qu'aucune enquête paranormale n'avait jamais été menée sur ce site. Nous avons également appris que nous pourrions accéder à une pièce clé de l'histoire sanglante de Dahmer : la porte de son logement.

Après la démolition de l'immeuble, le propriétaire avait conservé la porte, genre de souvenir bizarroïde des assassinats. J'étais fasciné par le symbolisme que cette porte évoquait dans mon inconscient. C'était la porte par laquelle les victimes de Dahmer entraient mais ne ressortaient jamais. C'était une simple porte qui était devenue la porte d'entrée des âmes des victimes de Dahmer dans l'autre monde.

Nous serions la première équipe à enquêter sur la propriété ; l'occasion était trop belle pour que nous la laissions filer. Une semaine plus tard, nous sommes partis du nord de l'Indiana avec tout notre équipement, pour nous rendre jusqu'à Milwaukee, à la poursuite des fantômes des victimes de Dahmer… voire du fantôme malveillant de Jeffrey Dahmer lui-même. Dans les faits, cette enquête ne pouvait être comparée à aucune aventure que les quatre membres de WISP aient jamais entreprise jusque-là.

À Milwaukee, après avoir pris possession de nos chambres à l'hôtel, Sam nous a dit qu'il se posait des questions sur Bobby Marchesso, l'animateur de *Conversations with a Serial Killer*, ex-policier et médium américain autoproclamé. L'équipe savait qu'il existait une quantité quasi infinie d'émissions de télévision traitant du paranormal, où figuraient des soi-disant médiums se comportant tels des kangourous psychotiques et se déclarant possédés par les esprits des morts. J'ai rassuré Sam et le reste de l'équipe à l'effet que j'avais déjà soulevé cette question avec les producteurs de l'émission et que j'avais même eu une longue discussion à ce sujet avec Bobby Marchesso lui-même. Bobby m'avait dit avoir les mêmes réserves et avait fait valoir qu'il avait une réputation (sans parler d'une carrière) à préserver. Comme nous, avait-il ajouté, il trouvait ce genre de comportement de mauvais goût et préjudiciable à la réputation des médiums crédibles. Il m'avait enfin assuré que l'on ne tolérerait aucun de ces plaisantins du paranormal en cours d'enquête.

L'ENQUÊTE COMMENCE

À notre arrivée sur le site de l'immeuble à logements démoli de Dahmer, nous avons tout de suite remarqué que le lot vacant était complètement entouré d'une clôture anticyclone de trois mètres de haut, couronnée de fils barbelés. À l'évidence, le propriétaire voyait d'un mauvais œil les curieux qui voulaient entrer sans avoir été invités. Sur le trottoir, près de la barrière se tenaient Bobby Marchesso et sa coanimatrice, la journaliste britannique Julie MacDonald. Alors que le rôle de Bobby était d'entrer en communication et de converser avec les morts, Julie MacDonald endossait le rôle du sceptique de service et de l'avocat du diable.

WISP n'ayant jamais effectué une enquête paranormale sous les regards attentifs d'une équipe de tournage, d'un médium et d'une sceptique, nous ne savions pas trop à quoi nous attendre. Nous nous disions toutefois que l'aventure promettait d'être divertissante. Après quelques minutes passées à bavarder avec Bobby et Julie (bavardage rendu encore plus intéressant par l'accent écossais de Julie), nous avons vu arriver le directeur Chris Williams. Il nous a demandé de nous rapprocher et de préparer notre matériel pendant que les caméramans filmaient la séquence d'ouverture avec Bobby et Julie. WISP allait bientôt être la toute première équipe d'enquêteurs à mettre les pieds sur le site qui avait été le théâtre de plusieurs des horribles meurtres de Jeffrey Dahmer.

Le jour allant en déclinant, nous avons préparé nos esprits et notre équipement, puis avons observé le directeur et son équipe en train de filmer les deux animateurs qui parlaient à l'extérieur de la barrière. Nous commencions à attirer l'attention des gens du quartier, dont quelques-uns sont venus nous demander ce que nous faisions. Lorsque nous leur avons expliqué que nous étions une équipe d'enquêteurs du paranormal à la recherche des fantômes de Jeffrey Dahmer et de ses victimes, l'intérêt des badauds s'est accru comme par enchantement. Nous avons été bombardés de questions concernant notre mission et nos précédentes aventures de chasse aux fantômes.

Pendant que nous répondions aux nombreuses questions concernant nos techniques (certains voulaient aussi savoir si nous connaissions les animateurs de *Chasseurs de fantômes* à la télé), trois voitures de patrouille sont arrivées dans l'allée derrière nous, et une petite armée de policiers en est sortie. Aussitôt, presque tous les curieux (dont quelques-uns avaient des mines un peu louches) se sont dispersés et sont partis, chacun de son côté. L'apparition soudaine des policiers nous avait inquiétés nous aussi, mais pour une tout autre raison : allaient-ils nous empêcher d'entrer sur la propriété ?

Nous avons vu le directeur de l'émission s'entretenir avec les policiers. Quelques minutes plus tard, il tendit une feuille de papier pliée à l'un des agents, puis se dirigea vers la barrière entourant la propriété et déverrouilla le cadenas. Les policiers avaient seulement voulu s'assurer qu'aucun badaud ne nous cause des ennuis. Personne ne nous avait embêtés ; heureux que tout se passe bien, les policiers étaient repartis.

Tandis que j'attachais un enregistreur audionumérique à mon bras et que mes coéquipiers préparaient leurs instruments, Chris Williams fit glisser la chaîne de la barrière qui empêchait le monde extérieur d'accéder à la scène de crime depuis tant d'années. La barrière menant au monde noir et meurtrier de Jeffrey Lionel Dahmer était enfin ouverte. Avec un mélange d'excitation et d'appréhension, nous l'avons traversée et sommes entrés dans ce qui avait dû être un autre monde, un monde qui promettait d'être différent de tout ce que nous avions pu connaître auparavant. Les choses allaient devenir irréelles.

UN TERRAIN HANTÉ

Le premier souci de WISP fut de faire le tour de la propriété. Notre but, en en faisant le tour, était double : premièrement, nous faire une idée de l'impression que donnait la propriété et voir si nous pouvions sentir un modèle quelconque d'énergie active ou résiduelle ; deuxièmement, créer une barrière énergétique (semblable à ce qu'un groupe de sorciers peut faire lorsqu'il crée un espace sacré) afin d'éloigner du site toutes les entités indésirables. Nous souhaitions aussi garder toutes les entités invoquées dans nos limites.

Si les fantômes de Jeffrey Dahmer et de ses victimes hantaient les lieux, nous ne voulions pas qu'ils disparaissent dans la nuit avant d'avoir eu la chance d'interagir avec eux. Nous espérions que notre barrière garde les fantômes à l'intérieur de ces limites. Pendant que nous arpentions la propriété et que nous construisions notre barrière magique, l'équipe de tournage s'était réunie sous un grand chapiteau qui avait été installé à l'avance près du centre de la propriété. Tout ce beau monde était occupé à installer les caméras et les appareils d'enregistrement audio. C'était sous ce chapiteau que nous allions accomplir les principales étapes de notre enquête et tenter d'entrer en communication avec les morts.

Pendant que nous marchions, Amber s'est retrouvée dans un coin de la propriété qu'elle a qualifié de « portail naturel ». D'après elle, c'était à travers ce portail invisible que l'activité paranormale pourrait réellement circuler. Tour à tour, tous les membres de notre équipe ont essayé le portail et ont fait part de leurs impressions. Nous sommes vite arrivés à un consensus : des énergies entraient et sortaient de ce portail, et elles étaient fort probablement d'origine paranormale. Nous étions d'accord pour dire que c'était dans l'intérêt de tous de ne pas toucher à ce portail et de lui permettre de fonctionner normalement, sans jamais intervenir, même s'il risquait de rendre inutilisable la barrière énergétique que nous avions érigée autour de la propriété.

Je suis resté dehors un moment, pendant que le reste de l'équipe allait s'installer sous le chapiteau. Je n'avais toujours pas décidé comment j'allais aborder l'enquête, si j'allais être le « bon ou le mauvais policier » avec le fantôme de Jeffrey Dahmer. Si je choisissais de jouer le rôle de celui qui provoque, je savais que je devrais le jouer jusqu'au bout, à fond de train. Il me faudrait me comporter en salaud fini.

Mon autre choix était de garder mes distances et de ne pas faire de vagues, à moins que la situation ne l'exige. Mais, ayant réfléchi à la vie de Dahmer et à ses crimes, j'ai pris ma décision et me suis dirigé en souriant vers le chapiteau où attendait l'équipe de tournage. Arrivé à moins de 10 m, j'ai vu le directeur Chris Williams en train de verrouiller la barrière de l'intérieur. J'ai fait un autre pas et j'ai entendu quelqu'un me murmurer à l'oreille. Je me suis arrêté et j'ai regardé autour de moi. Il n'y avait personne. À part Chris et moi, tout le monde était sous le chapiteau. La voix que j'entendais était bel et bien une voix de femme. J'ai vite saisi mon enregistreur audio et fait rejouer l'enregistrement. Avais-je capté cette voix sur la bande audio ? En appuyant sur le bouton *play*, j'ai eu ma réponse. Mon sourire s'est élargi d'autant. Je suis entré sous le chapiteau pour y retrouver mes coéquipiers.

LA PORTE MENANT À L'AUTRE MONDE

La porte de l'appartement 213, dont j'ai déjà parlé, se trouvait sous le chapiteau. Elle reposait à l'horizontale sur deux chevalets. Sur la porte, il y avait une petite lanterne électrique, un pendule suspendu à un montant de bois et un compteur K2, tout cela appartenant à Bobby Marchesso. J'étais très heureux de voir le compteur K2, car peu de temps auparavant, nous avions songé à en acheter un. C'était l'occasion parfaite d'en faire l'essai et de voir si nous étions satisfaits des résultats obtenus.

Le compteur K2 a d'abord été conçu pour servir de détecteur de EMF (champs électromagnétiques), grâce à une série de lumières de couleur censées indiquer aux enquêteurs du paranormal la présence de champs électromagnétiques. Il est différent des détecteurs de EMF ordinaires, qui utilisent une aiguille de jauge ou une platine numérique pour indiquer les niveaux de EMF. C'est par hasard que l'on a découvert que le compteur K2 peut faire la distinction entre un oui et un non, lorsque les fantômes répondent aux questions posées par les enquêteurs du paranormal. Le compteur K2 fonctionne lorsqu'un enquêteur pose à un fantôme résidant une question à laquelle il peut répondre par oui ou par non. On demande normalement au fantôme d'allumer le compteur une fois pour un oui, et deux fois pour un non. Nous nous sommes souvent demandé si le compteur K2 pouvait aussi détecter l'énergie que nous dégageons en tant qu'équipe avant et durant nos enquêtes. Nous espérions que la présence d'un dispositif aussi fascinant nous permettrait de répondre à cette question.

Le compteur K2 ayant été installé et tous nos appareils d'enregistrement numériques fonctionnant normalement, les quatre membres de WISP ont formé un cercle autour de la porte, avec Bobby Marchesso et Julie MacDonald. Comme d'habitude, notre première préoccupation fut d'élever l'énergie en tant que groupe. L'élévation de l'énergie en groupe n'a rien à voir avec la barrière énergétique que nous avions mise en place plus tôt en arpentant la propriété. Nous souhaitions maintenant élever l'énergie et utiliser la porte posée sur les tréteaux comme outil métaphysique, afin d'ouvrir un grand portail entre le monde des vivants et celui des morts.

Bobby nous expliqua que Julie avait déjà eu une très mauvaise expérience avec le travail énergétique. Il nous demanda de lui fournir plus de détails sur notre façon de procéder, afin que Julie puisse déterminer si elle voulait participer au processus ou s'abstenir. Amber donna un compte rendu exhaustif de notre manière de faire et de ce à quoi il fallait s'attendre. Après y avoir réfléchi, Julie décida de participer à l'expérience. Amber ajouta que si, à n'importe quel moment durant le processus d'élévation de l'énergie, Julie ne se sentait pas bien, elle pouvait simplement se retirer et que nous reconnecterions rapidement notre cercle, tout en protégeant Julie des influences qu'elle voulait éviter. Pour sa part, Bobby nous confia qu'il était maître Reiki et très versé dans le travail énergétique. Il savait déjà à quoi s'attendre.

Nous avons formé un cercle à six en nous tenant par la main, et nous avons centré nos corps et nos esprits. L'énergie a commencé à circuler librement en tourbillonnant autour de notre petit cercle. J'ai remarqué que Bobby se focalisait sur la porte au milieu du cercle. En y regardant bien, j'ai tout de suite compris pourquoi. Quand l'énergie passait devant le compteur K2, l'appareil s'allumait, et lorsque l'énergie passait derrière, l'appareil s'éteignait. Ce motif s'est répété tout le temps que nous nous sommes concentrés sur l'élévation de l'énergie. Quant à savoir si le compteur pouvait oui ou non capter notre motif énergétique, la réponse ne faisait plus de doute. Mais le compteur pouvait-il aussi détecter les morts et interagir avec eux? Nous étions sur le point de le découvrir.

Notre groupe a continué à augmenter l'énergie. Nous étions enchantés de voir que Julie s'en sortait très bien. En fait, à aucun moment durant notre séance d'élévation énergétique, nous n'avons senti le moindre inconfort ou blocage de sa part. Une fois l'énergie arrivée à son paroxysme, j'ai demandé au groupe de la focaliser en moi. Lorsque j'ai senti l'énergie me pénétrer, je l'ai envoyée directement dans la porte, en me servant de mon couteau rituel pour la diriger. Ce faisant, toutes les lumières du compteur K2 se sont allumées et sont restées allumées au moins 15 secondes. J'ai déposé mon couteau sur la porte, à côté des autres articles, afin de sceller le cercle.

Immédiatement après que nous ayons circonscrit les lieux et ouvert un portail entre les mondes, Bobby nous informa qu'il pouvait déjà «sentir deux des victimes de Dahmer». Et il ajouta : «Dahmer est là, dans un coin du chapiteau.» Bobby déclara ensuite que le fantôme de Jeffrey Dahmer était présent depuis que nous avions pris nos places autour de la porte, mais il lui restait à le prouver à Julie et aux autres membres de l'équipe WISP.

Bobby déclara ensuite que si nous voulions «provoquer ou invoquer» le fantôme de Dahmer dans le but de déclencher une réaction physique que nous pourrions enregistrer, nous ferions sans doute bien de tenter le coup maintenant. Sans hésiter, j'ai demandé : « Y a-t-il quelqu'un ici avec nous ce soir ? Si oui, pouvez-vous nous parler ? Pouvez-vous produire un bruit ? Pouvez-vous déplacer un objet sans blesser personne ? » Puis à son tour, Amber a demandé : « Pourquoi êtes-vous ici ? » Rien, aucune réponse audible à nos questions. Le compteur K2 restait muet.

Mais les choses allaient bientôt changer. Bobby nous informa que d'autres victimes de Dahmer étaient entrées sous le chapiteau et que Dahmer lui-même se déplaçait d'un coin à l'autre. Voulant à tout prix m'assurer que ces fantômes étaient bien présents, j'ai décidé qu'il était temps d'user de provocation. Pour être satisfait, j'exigeais rien de moins qu'une preuve tangible à l'appui des déclarations de Bobby Marchesso. Tandis que les autres membres de l'équipe de WISP questionnaient les fantômes de leurs voix calmes et rassurantes, j'étais de plus en plus furieux à chaque seconde. En fait, plus je pensais à Jeffrey Dahmer et aux gestes monstrueux qu'il avait posés de son vivant, plus je fulminais. Ma fureur s'est très vite transformée en rage.

J'ai demandé : « Est-ce vrai, Jeffrey ? Êtes-vous là ? Pourquoi ne vous montrez-vous pas ? »

Bobby m'a informé que le fantôme de Dahmer s'était éloigné de moi et avait eu l'air effrayé. Eh bien, pas de problème, j'ai recommencé à le provoquer.

— Pourquoi vous éloignez-vous de moi, Jeffrey ? Seriez-vous un froussard ? Je pense que vous n'êtes qu'un lâche, ai-je crié. Je ne pense pas que vous allez vous montrer devant moi, et ne je pense pas que vous allez me parler.

J'ai continué.

— Je crois que vous ne ferez rien. Vous êtes un sale lâche, Dahmer ! Je reste ici et je ne partirai pas tant que je n'aurai pas obtenu de réponse. Parlez ! Montrez-vous ! Si vous êtes là, montrez-vous !

À cet instant, une force invisible s'est frottée contre le dos d'Amber et elle a eu l'impression que quelqu'un passait ses doigts dans ses cheveux. Ma provocation avait-elle suscité une réaction physique? Ou alors, les fantômes étaient-ils tout simplement attirés par ma coéquipière? Avant d'avoir obtenu des réponses à ces questions, un des fantômes a pris Becca par le bras, sans serrer, puis l'a relâchée. Ébahi, je regardais Bobby qui pointait du doigt les fantômes de Dahmer et de ses victimes qui se mouvaient à l'intérieur du chapiteau en touchant à mes coéquipiers.

Lorsque Bobby a dit qu'un des fantômes s'était placé à la droite d'Amber, celle-ci a senti une force invisible la toucher au bras droit. Quand Bobby a dit qu'un des fantômes se tenait derrière Becca, celle-ci a senti quelque chose se frotter contre son dos. Même Sam, notre sceptique attitré, a senti une force invisible le toucher au bras. En enquêteur astucieux, Sam a demandé à Bobby s'il y avait un fantôme près de lui, et si oui, de quel côté. Fait impressionnant, Bobby a été en mesure de dire qu'un fantôme se tenait près de Sam, du côté où son corps avait été touché. En quelques minutes à peine, il sembla que tous avaient physiquement été touchés par des fantômes. Tous, sauf moi.

Impatient de recevoir du fantôme de Dahmer une réaction physique qu'il serait possible d'enregistrer sur film, j'ai continué à crier après lui. Cependant, compte tenu de toute l'activité qui grouillait sous le chapiteau, j'ai décidé qu'il serait préférable de baisser un peu le volume et, d'une voix plus calme, plus conciliante, j'ai demandé : « Éprouvez-vous le moindre remords? Avez-vous l'impression que vous auriez mérité une peine plus lourde pour tout le mal que vous avez fait à ces personnes? »

Ma question a déclenché une réaction que Bobby a affirmé voir et entendre, une réponse que notre médium attitré a trouvée fort intéressante. Voici ce que, d'après Bobby, le fantôme de Dahmer aurait répondu à la question que je venais de lui poser : « Je vais payer mille fois plus que vous ne pourriez jamais l'imaginer. »

C'était maintenant au tour de Sam de poser une question au fantôme de Dahmer, une question qui m'était aussi passée par la tête. Sam voulait savoir s'il était attaché à la propriété ou s'il était revenu parce que nous y étions. Bobby nous a dit que la réponse de Dahmer laissait entendre qu'il croyait que son fantôme était revenu sur le site parce que nous y étions. C'était ce que nous croyions tous. Becca voulait savoir pourquoi Dahmer avait commis des gestes aussi inavouables de son vivant. Bobby nous rapporta que Dahmer avait dit qu'il « ignorait pourquoi », mais Bobby ajouta que cette réponse était une échappatoire. Selon lui, Dahmer savait exactement pourquoi il avait torturé et tué ces jeunes gens, mais il répugnait à l'admettre en notre présence.

Les questions et réponses ont continué jusqu'à ce que nous réalisions que le fantôme de Dahmer rendait Bobby nerveux. Bobby ordonna à Dahmer de cesser de « tourner autour du pot », et ajouta qu'il était temps qu'il « cesse de se mentir par rapport au passé ». Julie demanda alors à Bobby s'il pouvait fournir une preuve irréfutable que le fantôme de Jeffrey Dahmer était présent parmi nous. Bobby répondit que (je paraphrase) tout ce qu'il pouvait faire était de communiquer ses impressions psychiques et qu'il ne pouvait pas « forcer » le fantôme de Dahmer à se matérialiser devant nous. Julie a poursuivi en disant à Bobby : « C'est bien beau, pour un médium, d'avoir une conversation avec un fantôme, mais ce qu'il nous faut, c'est une preuve physique. Nous n'avons pas besoin qu'il nous raconte l'histoire une autre fois. À cet égard, je me contenterais de lire un livre. Nous avons besoin de plus que ça. »

De toute évidence, l'impatience de Julie face à la séance de questions et réponses horripilait Bobby, et il a conseillé à sa coanimatrice de se « calmer ». Il a dit : « La seule manière d'y arriver, c'est psychiquement. » Amber a pris la parole : « Jeffrey, y a-t-il une chose que vous pouvez dire à Bobby concernant les meurtres, que personne d'autre n'est censé savoir ? » En posant cette question, Amber espérait apprendre si Bobby Marchesso conversait réellement avec le défunt tueur en série, ou si tout cela n'était qu'une grosse mystification.

Julie et l'équipe WISP regardaient Bobby et attendaient sa réponse. Cela n'a pas tardé. Sans hésitation, Bobby nous a informés que Dahmer avait tué deux autres personnes, deux meurtres connus uniquement de l'assassin lui-même. « Il a tué 19 personnes en tout, pas 17 », a dit Bobby.

J'ai demandé : « Est-ce qu'on les a retrouvées ? »

Bobby a dit : « On en a retrouvé une. Le corps a été découvert dans un dépotoir, mais le deuxième corps n'a jamais été retrouvé. »

J'ai ensuite demandé à Bobby s'il pouvait sentir si ces meurtres non répertoriés avaient vraiment eu lieu, et s'il pouvait nous donner une idée du moment où cela s'était passé. Bobby a dit pouvoir repasser la séquence des meurtres de Dahmer dans sa tête. Après un moment de réflexion, il a dit qu'il croyait que ces meurtres avaient eu lieu en mai ou juin de la dernière année de la carrière sanguinaire de Dahmer. Puis il a déclaré que le fantôme de Dahmer était allé se placer directement derrière Amber et qu'il regardait par-dessus son épaule gauche. Bobby croyait que Dahmer s'était rapproché d'Amber parce qu'il sentait qu'elle éprouvait de la compassion, mais Amber nous a dit plus tard que sa compassion allait aux victimes et non à l'assassin

J'ai demandé : « Jeffrey, êtes-vous attiré par cette compassion ? » Et Becca a poursuivi : « Jeffrey, donnez-nous un signe. Un signe qui montre que vous éprouvez du remords pour les crimes que vous avez commis. »

J'ai ajouté : « Plus tôt, quelqu'un a effleuré les cheveux d'Amber. Pouvez-vous faire la même chose ? Pouvez-vous lui effleurer l'épaule ou le bras ? »

Deux secondes après, quelque chose a touché le bras d'Amber.

Le fantôme de Dahmer semblait beaucoup plus intéressé à interagir avec les gens, qui étaient venus pour le voir, qu'avec les gadgets scientifiques et métaphysiques que nous avions apportés avec nous, même si, peu de temps après qu'Amber eût été touchée, Julie avait remarqué que le pendule oscillait d'avant en arrière d'un mouvement régulier. Julie nous a également informés que le pendule bougeait depuis le début de notre enquête. Elle n'avait cependant pas senti que c'était important d'en informer le reste de l'équipe avant que le pendule ne se mette à osciller régulièrement. Elle me suggéra alors de continuer de provoquer les fantômes et d'essayer de déclencher une réaction physique. Bobby ajouta que le fantôme de Dahmer se déplaçait à l'intérieur du chapiteau et qu'il pouvait me dire où il se trouvait afin que je puisse établir un contact personnel.

J'ai continué ma provocation, suivant Dahmer de près grâce aux instructions de Bobby, mais chaque fois que je voulais le confronter, il se sauvait de moi. Bobby m'a dit que je rappelais à Dahmer un policier qu'il avait connu de son vivant.

J'ai répliqué : « Je suis un policier du paranormal. »

À ce moment-là, j'ai récupéré mon couteau rituel sur la porte où je l'avais déposé et l'ai remis dans sa gaine. J'ai fait cela parce que je sentais que la puissante énergie emmagasinée dans le couteau risquait fort d'empêcher les fantômes d'interagir avec les autres articles sur la porte. Puis, craignant que mon énergie personnelle puisse empêcher Dahmer et les autres fantômes d'interagir avec l'équipement, je suis sorti du chapiteau. Quelques minutes plus tard, j'y suis retourné et j'ai demandé si mon départ avait changé quelque chose. On m'a répondu que non.

Nous étions incapables de faire réagir les fantômes autrement que par des effleurements physiques et le léger balancement du pendule. C'était maintenant à Bobby de faire ce qu'il avait à faire. Comme le laisse entendre le titre de la série télé, le temps était venu pour Bobby d'avoir une conversation avec un tueur en série décédé.

UNE CONVERSATION AVEC UN TUEUR EN SÉRIE

Bobby voulait revenir sur les commentaires qu'Amber et Becca avaient émis relativement au manque de compassion de Dahmer envers ses victimes. Il pensait que le fantôme de Dahmer réfutait et niait ces allégations. Paraphrasant les propos de Dahmer, Bobby nous rapporta que Dahmer «avait découpé ses victimes et les avait exposées avec beaucoup de soin». Il ajouta que c'était avec beaucoup de compassion que Dahmer avait exposé les membres et les têtes de ses victimes. Bobby déclara ensuite que Dahmer avait effectivement aimé ses victimes, à tout le moins selon «sa conception de l'amour».

Puis j'ai demandé à Bobby si Dahmer voyait comme de «l'art» la manière dont il avait assassiné et disposé ses victimes. Bobby a fait signe que oui et a dit que Dahmer jugeait que certaines des choses qu'il avait faites avec les os et la chair de ses victimes étaient une forme d'art. Amber voulait savoir pourquoi Dahmer avait mangé ses victimes, et Bobby a répliqué que la réponse de Dahmer était «par curiosité».

Puis Bobby nous a demandé d'attendre une seconde. Il a fait une petite pause pour sentir les modèles d'énergie autour de lui et écouter attentivement une voix désincarnée qu'il était le seul à entendre.

— Quand il dit que c'était par curiosité, a repris Bobby, j'ai l'impression que son esprit est totalement euphorique, mais ce n'est pas une euphorie mentale causée par l'extase; non, c'est comme si son esprit était sous l'influence d'une surdose de Demerol, vous comprenez? Trop de codéine ou d'une drogue qui vous procure une intense sensation d'euphorie.

— Était-il ivre lorsqu'il commettait ses crimes? demanda Julie.

— Non, a répondu Bobby. Il... hum, il faisait semblant de boire.

— Semblant de boire? Que voulez-vous dire exactement?

— Lorsqu'il invitait ses victimes chez lui pour prendre un verre, il mettait sa langue dans le goulot de la bouteille et faisait semblant de boire. Voulant être éveillé et en possession de tous ses moyens pour ce qui s'en venait, il ne consommait pas d'alcool avant ou durant ses meurtres.

Bien que cette affirmation n'ait rien à voir avec ce que nous connaissions de Dahmer, qui avait été un alcoolique chronique, il n'était pas impossible qu'il ait fait semblant de boire afin d'être en pleine possession de ses moyens pour commettre ses meurtres.

Sam voulait maintenant revenir sur les victimes inconnues de Dahmer et recueillir quelques renseignements.

— Donc, il y a eu plus de 17 victimes, c'est ça ? a demandé Sam.

— Oui, a répondu Bobby. Il y en a eu 19.

— Et l'une de ces victimes n'a pas été retrouvée, a poursuivi Sam. Peut-il nous dire où nous pourrions trouver des preuves de ces meurtres ?

— Je ne crois pas que vous puissiez trouver des preuves, a dit Bobby. Je l'ai su psychiquement. Ce n'est pas une chose que Jeffrey m'a confiée. Il s'est débarrassé d'un des corps à quelques pâtés de maison d'ici et, pour une raison ou une autre, il ne l'a pas mutilé et ne lui a rien fait de particulier. Je ne sais pas s'il était contaminé, mais c'est l'impression que Jeffrey m'a donnée. C'est un peu comme si cette victime avait été atteinte du cancer, du sida ou d'une autre maladie infectieuse.

— Est-ce que la pureté de ses victimes était importante pour lui ? ai-je demandé.

— Oui. La pureté physique était importante pour lui. Dans un des coins de Milwaukee que *nous* avons visités (c'est-à-dire Bobby, Julie et l'équipe de tournage) hier soir, un lieu que Jeffrey avait l'habitude de fréquenter lorsqu'il traquait ses victimes, il y avait de nombreux individus dépendants des drogues. Ils étaient désespérés et malheureux, et il fallait que les victimes de Jeffrey soient au-dessus de ce genre de choses, voyez-vous ? Il fallait qu'ils soient propres. Ses victimes devaient être au-dessus de ce genre de choses. Il fallait qu'elles soient très propres et fières, et il fallait aussi qu'elles aient une bonne estime d'elles-mêmes. Ou tout au moins ce genre d'attitude.

— Cela augmentait-il son excitation lorsqu'il les tuait? ai-je demandé. Est-ce que des victimes très fières augmentaient l'euphorie de Dahmer?

— Oui, a répondu Bobby. Il dit que oui.

— S'il pouvait dire quelque chose à ses parents, a repris Becca, que leur dirait-il?

— Il est vraiment très désolé, a répondu Bobby. Il demande pardon à sa mère.

— Et son père? ai-je voulu savoir.

— On dirait qu'il a trop honte de ce qu'il a fait pour parler à son père, a répondu Bobby. On dirait que c'est beaucoup plus difficile pour lui de « mettre ses culottes », vous savez, la relation entre un garçon et son père est un truc compliqué. Il a trop honte pour l'affronter, même si son père est resté à ses côtés à chaque instant, même après que Jeffrey eût été accusé des meurtres.

— Je comprends que vous ne faites que répondre aux questions que nous posons, ai-je dit, mais j'ai l'impression que nous sommes en train de l'humaniser, dans un sens. Comment perçoit-il cela? Avez-vous l'impression que c'est ce qu'il tente de faire? Est-ce qu'il essaie de mettre un masque sur le visage du monstre?

— Je vous rapporte seulement ce qu'il projette, a répondu Bobby. Et je pense qu'au fil de l'enquête, je n'ai jamais senti le « monstre ». C'est différent de nos enquêtes précédentes où il y avait définitivement une présence maléfique, mais il s'agit d'autre chose. C'est comme si, avec Jeffrey, il y avait un bouton, un genre d'interrupteur. J'ai simplement l'impression que *monstre* n'est pas le bon mot, a conclu Bobby en tournant son attention vers les caméras de l'équipe de tournage.

— Je suis désolée, l'a interrompu Julie, mais je ne suis pas d'accord. Tu ne peux pas assassiner 17 personnes et les jeter dans une poubelle chez toi sans être un monstre. Je ne suis pas d'accord;

je n'y crois pas. Il a fait des choses horribles. Et je comprends comment sa mère et son père doivent se sentir : oui, ils ont perdu un fils, mais 17 personnes ont perdu la vie. Et, vous savez, pourquoi avez-vous mangé vos victimes ? Par « curiosité » ? Je trouve cela… ahurissant, voilà.

Elle se retourna pour regarder Bobby en face.

— Tu sais, Bobby, nous avons déjà discuté ensemble de l'univers parallèle que Dahmer se créait pour lui-même, dans lequel je peux imaginer ces mots utilisés en toute sincérité dans *son* monde, *aimer* quelqu'un, éprouver de la *curiosité* envers quelqu'un, mais pour le reste des gens, cela semble complètement ridicule.

Bobby a fait signe que oui.

— Oh, bien sûr, parce que la société a un ensemble de valeurs et que les gens qui posent des gestes horribles ne voient pas les choses de la même manière. Ainsi, il sera très facile de lui apposer l'étiquette de monstre à cause des *horreurs* qu'il a commises, mais à *ses* propres yeux, il n'y a pas de, enfin, il y avait le bien et le mal, mais…

— Bobby, l'a interrompu Sam, vous avez dit qu'il fonctionnait comme on pousse un bouton que l'on tourne. Êtes-vous en train de dire qu'il pourrait avoir deux personnalités séparées ?

À nouveau, Bobby a fait signe que oui.

— J'ai déjà rencontré des personnalités doubles avant, et ceci semble différent de cela, mais c'est un peu comme lorsque nous disions (plus tôt dans la soirée) que les envies étaient comme si vous avez une habitude, l'habitude des drogues par exemple, ou une accoutumance, et que vous n'obtenez pas ce dont vous avez besoin ; cela commence alors à vous obséder et, dans le cas de Dahmer, ses accoutumances l'ont poussé à aller jusqu'au bout. À tuer, je veux dire.

Amber avait une question à poser.

— Si Dahmer appelle cela de *l'amour,* je me demande bien comment il se serait senti si quelqu'un lui avait fait subir de tels sévices ?

La réponse de Bobby a fusé.

— Il se serait donné librement.

Puis il s'est arrêté un moment, comme s'il écoutait une voix que personne d'autre ne pouvait entendre.

— Pour être bien honnête avec vous, je n'accepte pas cette réponse. Même si c'est ce qu'il affirme, quand je regarde cela d'un point de vue rationnel, j'ai envie de dire, non, tu ne l'aurais pas fait.

Becca a pris la parole.

— De toute évidence, quand il était enfant, ses parents ont dû lui montrer ce qu'est vraiment l'amour…

— Il vient de s'approcher de vous, a dit Bobby, mais Becca n'a pas eu l'air de comprendre.

— Enfant, a-t-elle poursuivi, comment a-t-il pu déformer ce concept puis, plus tard, commettre les crimes qu'il a commis et penser que c'était de l'amour ?

Je me suis tourné vers Becca.

— Qu'est-ce qui te dit qu'on lui a donné de l'amour quand il était enfant ? ai-je demandé. Tu supposes qu'on lui a exprimé ce genre d'amour quand il était jeune. Peut-on en être certains ?

— Si je me fie à tout ce que j'ai lu sur le cas de Dahmer, a-t-elle répliqué, son père en particulier n'a jamais cessé de le soutenir, même après qu'on l'eût arrêté et accusé des meurtres.

Bobby a repris la parole.

— Nous (l'équipe de tournage et les deux animateurs) avons déjà visité la maison où il a grandi, et j'ai senti beaucoup d'abandon là-bas. Je me souviens d'avoir eu vent que sa mère le laissait seul pendant de longues périodes. Quand j'étais dans cette maison, j'ai également eu le sentiment que la manière dont il avait commencé à tuer, des animaux au début, et par la suite des personnes, avait quelque chose à voir avec l'abandon. J'ai aussi senti qu'à un moment donné, il était assis sur le porche arrière de la maison, en tenant un crâne entre ses mains, et qu'il avait peur de l'enterrer. Imaginez… enterrer votre animal de compagnie. Dans sa tête, enterrer ses victimes, c'était ajouter une finalité aux choses, dans le genre : «Il aurait fallu que je l'abandonne», et il ne voulait pas faire ça. Il sentait que c'était une autre forme d'abandon, que s'il les enterrait, ce serait comme si une autre personne sortait de sa vie. C'est pour cette raison qu'il photographiait ses victimes. Pour toujours les avoir avec lui.

Bobby fit une pause et leva les yeux.

— Il penche la tête. Et quand je vois ça, quand je le vois pencher la tête, je vois un geste de remords. Mais je ne peux pas dire s'il joue, parce que maintenant, je me fie sur ma propre perception. Je suis sorti de la tête de Dahmer. J'en suis sorti et, maintenant que je l'observe, je ne sais pas si j'y crois. Je me pose des questions sur la sincérité de ses excuses. Je sais que j'ai senti son remords une ou deux fois, mais quand j'y repense maintenant, je ne sais pas, je n'ai pas l'impression qu'il est rongé de remords.

— Pour exprimer du remords, a dit Sam, il aurait fallu qu'il fasse la différence entre le bien et le mal, non?

— Il faisait la différence, a répondu Bobby.

— Et il l'a fait quand même, a ajouté Amber.

— Il l'a fait quand même, a acquiescé Bobby.

— Donc, c'était un choix, ai-je dit. Il n'était pas sociopathe.

— C'était un choix, a dit Bobby.

— Cela nous ramène donc à une de nos premières questions, a repris Amber. Pourquoi a-t-il fait cela? Voulait-il être célèbre? Obtenir la reconnaissance que les autres lui refusaient?

— Non, a répondu Bobby. Il s'est tu une minute, puis a articulé «contrôle». Il voulait le contrôle. Il y eut un temps où il traquait, chassait, ce genre de choses, et c'est là qu'il a ressenti l'aspect exotique, l'excitation de la chasse. C'est seulement quand il droguait ses victimes, et qu'elles commençaient à ne plus avoir de volonté propre, qu'il commençait à se détendre. Il était alors en total contrôle et devenait très calme. Arrivé là, il pouvait faire tout ce qu'il voulait.

— Est-ce que cela lui plaisait ? ai-je demandé. D'être le chasseur ?

— Oh, oui, a répondu Bobby.

— Il nageait dans la confusion, a dit Amber.

— Et même dans le danger, ai-je renchéri.

— Le danger, a répété Bobby en hochant la tête. Il était attiré par le danger.

— Eh bien, pour moi, cela ferait de lui un faible, a dit Sam. S'il avait été quelqu'un de fort, il aurait aimé voir la peur qu'il causait à ses victimes. Comme il ne voyait pas cette peur parce que ses victimes étaient droguées, cela fait de lui un être très faible.

— Il trouvait l'extase dans la chasse, ai-je ajouté. Il ne supportait pas de la voir dans ses victimes.

— Il ne veut plus être ici. Il s'éloigne de nous à présent. Il recule. Il disparaît, a dit Bobby en soupirant.

— Pas de problème, ai-je répondu. Je n'ai vraiment pas envie d'être en sa présence plus longtemps.

Mais Becca avait une autre question à poser à Jeffrey Dahmer.

— N'avait-il pas été lui-même pourchassé en prison ?

— Attends un peu, a fait Bobby. Jeff, a-t-il dit dans le vide, savais-tu que tu allais te faire tuer ? Il a fait une pause. Il dit que oui. Deux ou trois jours avant, il savait que ça allait arriver.

— Alors, s'il savait qu'il allait se faire tuer, est-ce que cela le rendait nerveux ? a demandé Becca.

— Hum, non, a répondu Bobby. Je veux dire, je sens un peu de nervosité en ce moment, mais je pense que c'est seulement une réaction humaine ; il dit que la mort allait le soulager.

— Avait-il l'impression qu'il méritait de mourir, ai-je demandé.

Bobby a fait signe que oui.

— Il dit que oui. Mais quand il dit cela, a repris Bobby après une petite pause, j'ai l'impression que c'est uniquement pour donner une autre impression qu'il éprouvait du remords. Je pense qu'il nous dit seulement ce que nous voulons entendre.

Aussitôt après, Bobby nous a dit que quelque chose de très intéressant venait de se produire. Il nous a informés que, pour la première fois durant l'enquête, le fantôme de Jeffrey Dahmer avait contourné la porte et se tenait juste à côté de moi.

— C'est très intéressant qu'il se soit rapproché de vous, m'a dit Bobby, parce qu'au début de l'enquête, il vous craignait et ne voulait pas vous affronter ; mais maintenant, il dit qu'il a à « s'élever spirituellement », pour ce que ça peut vouloir dire.

Bobby s'est approché de moi et a dit : « Il est à peu près grand comme ça », en mettant la main juste au-dessus de mon épaule gauche. Mais je ne sais pas très bien quelle était sa taille dans la vraie vie.

— Je mesure 1,90 m nu-pieds, ai-je dit.

Ensuite je me suis tourné du côté où Bobby m'avait dit voir le fantôme de Jeffrey Dahmer. J'ai mis tous mes sens à contribution pour essayer de capter un modèle énergétique spectral. Je sentais une présence près de moi, mais pas le genre de présence que j'anticipais de la part d'un tueur en série mort.

— On dirait toujours qu'il essaie d'inspirer la compassion, ajouta Bobby. Il espère obtenir un peu de compassion de votre part, Marcus.

Les mots de Bobby m'ont fait sourire.

— Il frappe à la mauvaise porte s'il espère que j'éprouve de la compassion pour lui, ai-je dit.

— Ça suffit, a dit Bobby. J'en ai assez des mensonges qu'il essaie de nous faire avaler. Je ne veux plus lui parler.

À ce moment-là, j'ai senti que les modèles d'énergie commençaient à changer à l'intérieur du chapiteau. Je ne sentais plus la présence de fantômes d'aucune sorte. Bobby nous a confirmé que les fantômes de Jeffrey Dahmer et de ses victimes avaient traversé le portail invisible que nous avions créé au début de l'enquête. Il nous a ensuite demandé si nous voulions refermer le cercle d'énergie que nous avions créé sous le chapiteau. Les quatre membres de WISP se sont entendus pour dire que c'était le temps de le faire.

Nous nous sommes repris par la main tous les six. Nous avons centré nos corps et nos esprits et nous nous sommes concentrés sur le cercle d'énergie.

— Merci d'être là, a dit Becca, en parlant aux fantômes qui étaient venus nous visiter. Pour votre présence, a-t-elle conclu.

— Merci d'avoir été bons avec nous, ai-je ajouté. Merci de ne pas nous avoir fait de mal.

— Merci pour vos voix, a dit Amber. Pour nous avoir parlé.

— Sam, ai-je demandé, veux-tu sceller l'ouverture du portail pour nous ?

Il a hoché la tête et, sans un mot, il a commencé à sceller le portail en élevant le cercle d'énergie au-dessus de nous et en le comprimant en une boule.

— Même après que nous aurons quitté cet endroit, a-t-il dit, nous laisserons notre protection derrière nous. Rien n'appartenant pas à ce lieu ne restera en ce lieu. Rien ne peut rester ici qui n'ait toujours été ici. Nous n'emportons rien. Tout reste. Notre volonté. Notre manière.

Puis Sam nous a dit de nous concentrer pour élever la boule d'énergie encore plus haut. En groupe, nous avons comprimé l'énergie encore plus fort, jusqu'à ce que nous puissions la sentir flotter loin de nous, après quoi Sam a envoyé l'énergie loin dans l'éther. Elle s'est élevée encore plus haut, disparaissant comme si elle retournait à sa source. J'ai mis mes mains sur la porte de l'appartement 213 une dernière fois et nous sommes tous restés là en silence, adressant nos adieux muets aux fantômes du passé, un passé qui restera à jamais prisonnier des ténèbres, en raison de certains des crimes les plus horribles de l'histoire de l'Amérique.

LAISSEZ LE PASSÉ EN PAIX

À notre sortie du chapiteau, tout le monde parlait de l'enquête et de ce que nous avions vécu. Bobby a dit avoir senti qu'il y avait un parallèle entre Dahmer et le personnage fictif de Hannibal Lecter, dans le film *Le Silence des agneaux*. Il croyait que Dahmer était devenu si expert à cacher le monstre qui était en lui qu'une personne qui ignorait qui il était et ce qu'il était aurait pu se sentir bien en sa présence.

La théorie de Bobby repose sur des informations factuelles. Tout le monde sait qu'après que Dahmer eût été arrêté pour plusieurs meurtres, plusieurs des policiers chargés de le surveiller avaient fini par beaucoup l'apprécier. C'est un phénomène que les policiers eux-mêmes ne pouvaient expliquer. Je sentais que le parallèle entre Jeffrey Dahmer et Hannibal Lecter avait quelque chose de troublant. Les deux hommes étaient des connaisseurs et se considéraient eux-mêmes comme des artistes. Les deux appréciaient les choses les plus raffinées. Les deux avaient tué et mangé leurs victimes.

Je suis resté à l'écart pendant que les autres quittaient la propriété. Avant de partir, je voulais vérifier un dernier détail. Plus tôt dans la soirée, avant le début de l'enquête, un des habitants du quartier m'avait montré une petite pile de briques à l'intérieur de la barrière. Ces briques étaient les derniers vestiges de l'immeuble où avait vécu Dahmer. Je voulais en rapporter une en guise de souvenir.

M'accroupissant dans les mauvaises herbes et le gazon trop long, j'ai trouvé ce que je cherchais puis j'ai rejoint mes coéquipiers de l'autre côté de la barrière, en tenant mon trophée paranormal entre mes mains. Nous avons pris quelques photographies en compagnie de Bobby, de Julie et de l'équipe du tournage, puis nous nous sommes dit au revoir en abandonnant à leur sort les fantômes de Jeffrey Lionel Dahmer et de ses victimes.

LES PREUVES

Avant de commencer à analyser les preuves que WISP a recueillies durant l'enquête, il y a quelques trucs dont nous devrions parler, entre autres à quel point l'enquête sur Jeffrey Dahmer a été différente des précédentes enquêtes de WISP. Premièrement, il y avait la présence de l'équipe de tournage. Pour commencer, j'aimerais mentionner leur professionnalisme. Il faut que je félicite les employés de Twofour pour leur travail durant l'enquête. Ils ont été courtois et discrets à l'excès. Le directeur et son équipe ont été professionnels jusqu'au bout des doigts.

La deuxième chose, qui a fait que l'enquête Dahmer était très différente de nos enquêtes habituelles, fut de travailler avec le médium Bobby Marchesso. Bobby et sa coanimatrice, Julie MacDonald, se sont eux aussi montrés très avenants et très professionnels. Il m'apparaît évident que la prestation de Bobby était bien ficelée et fort brillante. Ce qui est moins évident, c'est si Bobby conversait réellement avec le fantôme de Jeffrey Dahmer, comme il l'affirmait. Comme je l'ai souvent répété, je crois qu'on peut compter sur les doigts de la main les médiums qui habitent cette planète et qui possèdent un don aussi extraordinaire que la capacité de converser avec les morts. Bobby Marchesso en fait-il partie ? Eh bien, il est le seul à le savoir. Mais, comme on dit souvent, le secret est dans la sauce ; alors, sans plus attendre, analysons la preuve. Nous déciderons par nous-mêmes si oui ou non le fantôme de Jeffrey Dahmer hante toujours le sol de Milwaukee, Wisconsin.

Preuve photographique : Durant l'enquête, WISP n'a pas réussi à capter des preuves d'activité paranormale à l'aide d'un appareil photo ou d'un caméscope. Cela est aussi vrai pour les séances de tournage de l'équipe Twofour.

LES PVE DE DAHMER PAR ORDRE CHRONOLOGIQUE DE CAPTATION

De multiples PVE ont été captés sur les enregistreurs numériques de WISP en cours d'enquête. Étonnamment, plusieurs des voix captées étaient des voix féminines, alors que Bobby Marchesso avait déclaré que les seuls fantômes présents durant le tournage étaient ceux de Jeffrey Dahmer et de ses victimes. Toutes les victimes connues de Dahmer étaient des hommes. Voici les descriptions des PVE par ordre chronologique de captation.

1. Voix féminine : « Nous enferme à l'intérieur. » Cette voix a été captée à l'extérieur du chapiteau, pendant que nous arpentions la propriété, et c'est arrivé au moment exact où Chris Williams verrouillait la barrière, ce qui montre clairement que le fantôme était conscient de notre présence. Il s'agit d'un PVE de catégorie A, et c'est à n'en pas douter la voix d'une ENB (entité non biologique) la plus claire que WISP ait captée à ce jour. Tous les autres PVE ont été captés à l'intérieur du chapiteau.

2. Voix masculine : « Do, do, do, Bobby. » Ce PVE particulier est très étrange et sonne comme une psalmodie ou un chant tribal.

3. Voix féminine : « Un sort. »

4. Deux voix. Voix masculine : « Dahmer. » Voix féminine : « Et alors ! »

5. Voix masculine : « Réveiller les morts. »

6. Voix, sexe indéterminé : « Répondez-moi. »

7. Voix féminines (un enquêteur demande aux fantômes s'ils peuvent interagir avec les articles sur la table). Première voix : « Non. » Deuxième voix : « Peut-être. »

8. Voix masculines (par-dessus la voix de l'enquêteur). Première voix : « Peut-être devriez-vous simplement les laisser faire. » Deuxième voix : « Ta gueule, vieille peau. »

9. Voix masculines et féminines (au moment de la captation, l'enquêteur provoque le fantôme de Dahmer pour qu'il parle et qu'il se montre). Enquêteur : « Parlez ! » Voix désincarnée : « Non. » Enquêteur :

« Montrez-vous. » Voix désincarnée : « Non, non, non ! » Enquêteur : « Si vous êtes là, prouvez-le-moi. » Voix désincarnée : « Nooon ! Une voix féminine est ensuite captée, criant : « Il ne peut pas faire ça ! » Immédiatement après que ces voix se soient fait entendre, un des enquêteurs de WISP fut touché par une entité invisible.

CONCLUSION

Certaines expériences personnelles fascinantes et certaines preuves audio recueillies durant l'enquête renforcent les déclarations du médium, selon lesquelles les fantômes étaient présents sur le site de l'ancien immeuble à logements de Dahmer. Mais, quant à savoir si l'activité paranormale a été causée par les fantômes de Dahmer et de ses victimes, la preuve n'est pas concluante. Parce que des réponses directes aux questions des enquêteurs prouvent que les entités étaient conscientes de notre présence, la plupart des activités paranormales seraient considérées comme intelligentes plutôt que résiduelles. Toutefois, le nombre plus élevé de voix féminines captées sur enregistreur numérique en cours d'enquête nous laisse perplexes, car le médium a affirmé que seuls les fantômes de Jeffrey Dahmer et de ses victimes étaient présents sur la scène. Toutes les victimes connues de Dahmer étaient des hommes.

Après avoir passé les preuves en revue, WISP conclut qu'au moment de l'enquête, de nombreuses entités intelligentes et conscientes d'elles-mêmes étaient présentes sur le site. Une force invisible a touché trois des quatre enquêteurs durant l'enquête, mais le toucher est vu comme une preuve non recevable. Il n'y a pas de preuve incontestable pour appuyer ces déclarations ; elles ne peuvent donc pas être admises comme preuves. Je tiens toutefois à mentionner, sur une note personnelle, que si les membres de mon équipe affirment avoir été touchés, eh bien, pour moi, leur parole vaut de l'or. Quoi qu'il en soit, sans preuves scientifiques pour appuyer ces déclarations, je ne peux pas, en toute conscience, inscrire le toucher comme preuve irréfutable.

Outre les PVE recueillis durant l'enquête et les expériences personnelles de mes coéquipiers, une quantité importante d'activité a été captée par le compteur K2 et le pendule. Cependant, le compteur K2 semblait enregistrer uniquement l'énergie que nous avions soulevée en groupe, et non les réponses oui et non des morts, comme cet appareil est censé le faire. Il reste que le compteur K2 est un outil fascinant qui justifie qu'on l'étudie plus à fond ; je me suis donc empressé d'en commander un dès mon retour chez moi, afin de faire des tests sur le terrain durant nos futures enquêtes.

Un autre aspect clé de l'enquête Dahmer qu'il vaut la peine de mentionner concerne l'atmosphère. À aucun moment, durant l'enquête, les membres de WISP n'ont éprouvé une impression de noirceur ou de mal intense. Il n'est pas difficile d'imaginer qu'être en présence du fantôme de Dahmer équivaudrait à être face à Satan en personne. Mais, comme nous l'avons découvert en faisant notre recherche et durant une enquête subséquente, quand il était en vie, Dahmer avait le don de dissimuler le mal qui l'habitait et de cacher le visage de son monstre intérieur derrière un masque. Si le fantôme de Dahmer était réellement présent durant l'enquête, il est évident qu'il a emporté ce don avec lui dans la tombe.

Dans l'ensemble, l'enquête Dahmer nous aura offert un autre aperçu fascinant de l'étrange et souvent mystérieux monde paranormal. L'enquête a révélé une activité paranormale forte et fréquente.

Avant que je vous abandonne à vos propres fantômes, il y a un autre morceau du puzzle paranormal que j'aimerais partager avec vous. C'est un des nombreux PVE recueillis sur la scène, l'étrange PVE dans lequel une voix masculine désincarnée dit : « Ta gueule, vieille peau. » Ce PVE est fascinant. À l'aide du logiciel d'analyse de la voix de mon ordinateur, j'ai pu isoler et amplifier cette voix, après quoi j'ai fait une recherche dans Google pour trouver une vidéo de Jeffrey Dahmer prise de son vivant.

Je me suis rendu compte qu'il y avait pas mal de bouts de films qui se promenaient sur Internet, dont la plupart avaient été filmés durant le procès de Dahmer. À la seconde où j'ai entendu la voix de Dahmer, j'ai été parcouru de frissons. J'ai fait rejouer la vidéo à plusieurs reprises. *La voix que j'entendais correspondait parfaitement au PVE. À tous points de vue.* Les deux voix étaient identiques. Il ne fait aucun doute, dans mon esprit, que WISP a capté la voix désincarnée de Jeffrey Lionel Dahmer.

CHAPITRE 6

ROUTE D'ÉTAT 124 : OKIE PINOKIE ET LES COCHONS DE DEMON PILLAR

Enquête : la légende d'Okie Pinokie

Date du début : 7 août 2010

Lieu : Peru, Indiana

LA LÉGENDE[7]

Le quartier connu sous le nom de Okie Pinokie est un terrain densément boisé, situé près du réservoir Mississinewa, à l'extérieur de la ville de Peru en Indiana. À l'intersection de la Route 124 de l'État de l'Indiana (connue localement comme le Chemin de la rivière) et de la Route de comté 510 E, trois piliers rouillés et rongés par le temps marquent l'entrée d'Okie Pinokie. Des pistes de randonnée rudimentaires, empruntées surtout par des cavaliers à cheval, sinuent à travers bois.

Il fut un temps où l'endroit était extrêmement marécageux et, selon le personnel de Mississinewa, on y aurait découvert au moins huit cadavres humains en décomposition. Les experts locaux croient que la région environnante a déjà servi de lieu de sépulture pour les tribus amérindiennes nomades. En raison de cette information, les habitants du coin ont fini par croire que des milliers d'esprits amérindiens hantent la forêt.

---

7. Sources : GhostPlace.com (www.ghostplace.com) et le site web Indiana Ghost Hunters, plus particulièrement http://hoosierghost.proboards.com/index.cgi?board=discussion&action=print&thread=24.

D'après la légende, si vous roulez sur le chemin de gravier menant à Okie Pinokie, les arbres et le sous-bois envahiront votre véhicule. Si vous réussissez à traverser la forêt, vous vous retrouverez éventuellement dans un genre de virage indiquant la fin du chemin. Si, arrivé là, vous sortez de votre voiture et que vous sifflez, quelqu'un (ou quelque *chose*) vous répondra en sifflant du fond des bois.

Des gens ont raconté avoir entendu les cris d'un cochon près des piliers, mais les recherches pour retrouver le cochon ont été vaines. La légende raconte également qu'une petite fille de sept ans, prénommée Stéphanie, aurait été torturée et assassinée à Okie Pinokie, et que certains soirs, on peut encore entendre ses cris et voir son fantôme errer dans les bois.

ENQUÊTER SUR LA LÉGENDE

On nous avait conseillé de ne jamais utiliser une planche Ouija à Okie Pinokie, parce que les esprits résidants n'aiment pas cela et que ça les énerve. Alors, naturellement, la première chose que nous avons faite fut de sortir en acheter une. Nous avons trouvé une planche Ouija réellement chouette au magasin Toys « R » Us du coin. Elle luit dans le noir.

L'essai de la planche Ouija à Okie Pinokie venait compléter notre liste d'expériences à faire durant l'enquête. Mais, comme d'habitude, avant que nous ne soyons en mesure de mener une enquête complète à Okie Pinokie, nous devions trouver l'information sur la légende et nous rendre dans la forêt en plein jour pour nous faire une idée exacte de ce qui nous attendait. Nous avions lu des rapports selon lesquels une bonne partie du terrain d'Okie Pinokie était sauvage et difficile d'accès. Aussi fallait-il absolument, pour que notre enquête sur la légende soit sûre et réussie, planifier une randonnée à travers bois en plein jour, avant notre virée nocturne.

La route (et j'utilise ce mot dans son sens large) qui mène à Okie Pinokie est en gravier ; elle ressemble davantage à un chemin d'accès en cas d'incendie qu'à une vraie route. L'entrée est très difficile à trouver, et nous avons dû recourir à notre GPS pour la localiser. Sam et Amber ne pouvant pas participer à l'enquête diurne, Becca et moi avions décidé d'y aller seuls. Si nous trouvions le moindre indice prometteur, nous reviendrions tous les quatre à Okie Pinokie un autre jour. Il y avait un virage, passé la rangée d'arbres, et nous surveillions de près le phénomène des arbres censés envahir notre véhicule. Cela ne s'est jamais produit. Ma théorie est que ce phénomène n'est rien de plus qu'une illusion d'optique qui se produit surtout la nuit.

Deux kilomètres et demi plus loin environ, nous sommes arrivés au virage où le chemin s'arrêtait abruptement. D'après les rapports, c'était à cet endroit que l'activité paranormale était la plus forte à Okie Pinokie. Après avoir attaché nos enregistreurs numériques à nos bras et préparé notre matériel photographique, nous sommes sortis de la voiture, Becca et moi.

À 20 mètres environ du lieu où nous étions garés, nous avons vu un couple d'âge moyen faire monter deux chevaux dans une remorque attachée à un camion. Le couple nous regardait d'un air suspect ; j'ai hoché la tête en souriant. Ils m'ont retourné mon salut et ont semblé se détendre. Quand ils en eurent fini avec les chevaux, nous sommes allés les rejoindre pour leur demander s'ils accepteraient de nous parler de la légende d'Okie Pinokie. En fait, ils étaient plus qu'heureux de nous dire ce qu'ils en savaient. Après nous être présentés et après leur avoir expliqué que nous menions des recherches pour écrire un livre sur les légendes locales, le couple s'est empressé de nous fournir toutes sortes de renseignements. J'ai cru préférable de ne pas leur dire que nous étions des chasseurs de fantômes (encore moins des sorciers), et je n'ai jamais abordé ce sujet avec eux.

L'homme a été le premier à parler. Il nous a informés qu'« une bande de jeunes bizarres, vêtus de trench-coats, viennent ici avec des planches Ouija et s'adonnent à des rituels sataniques ». Puis il nous a montré un ravin à sa gauche et a dit : « Si vous traversez ce ravin et que vous remontez le sentier de l'autre côté, vous trouverez un tas de pierres avec des symboles bizarres que ces jeunes y ont peint. » L'information concernant les rituels pratiqués dans la forêt n'était pas une surprise, car nous avions lu de nombreux comptes rendus sur les jeunes qui fréquentaient Okie Pinokie à la tombée de la nuit, afin d'entrer en communication avec les fantômes.

Mais ce que l'homme nous a raconté ensuite nous a beaucoup intéressés. Lorsque j'ai dit au couple que « la plupart de ces jeunes ne feraient probablement pas la différence entre un rituel et un trou dans la terre » et qu'« il n'y avait sans doute pas de quoi s'inquiéter », l'homme a pris un air sérieux.

Il m'a regardé dans les yeux et a dit : « Il y a cinq ans, je vous aurais donné raison, mais ces pierres dont je vous ai parlé ? Celles qui sont au bout du sentier ? Eh bien, chaque fois que nous passons près d'elles, nos chevaux deviennent très nerveux, comme s'il y avait un prédateur ou quelque chose comme ça. Je vous le dis, ces jeunes gens réveillent des choses avec lesquelles ils feraient bien de ne pas jouer. »

J'ai été franchement surpris d'apprendre que les chevaux avaient eu peur, et je commençais à me demander si certains des jeunes qui accomplissaient ces rituels savaient réellement ce qu'ils faisaient et s'ils n'avaient pas réveillé quelque chose dans les bois à dessein.

Après nous avoir clairement indiqué la direction de l'aire des rituels, l'homme et la femme ont rassemblé le reste de leurs biens et se sont préparés à partir. Mais avant leur départ, j'avais une dernière question à leur poser sur la maison du Hobbit.

Quelque part au fond des bois à Okie Pinokie, il y a une structure de la grosseur d'une grosse niche à chien, à laquelle les habitants du coin font souvent allusion comme à la *maison du Hobbit*. Nous avions vu de nombreuses photographies de la maison du Hobbit dans Internet. Les photos nous aident à comprendre ce qui a valu son nom à cette structure. En forme de demi-cercle, elle est construite en blocs de ciment et ressemble beaucoup aux maisons de Hobbits dans les films *Le Seigneur des anneaux*. On dit (bien sûr) que la structure est hantée, et les amateurs de géocaching du coin l'ont souvent utilisée pour y cacher des objets que les autres chasseurs étaient censés trouver. Le jeu de la chasse au trésor est semblable au jeu de cache-cache, mais au lieu de chercher des personnes, les participants cachent des articles quelque part, puis publient leurs indices dans Internet pour ceux qui veulent participer à leur chasse au trésor. D'habitude, on laisse un cahier de bord dans la cachette afin que la chasse puisse être documentée.

Même si la chasse au trésor à Okie Pinokie semblait intéressante, WISP se passionnait pour un autre type de chasse. Le couple avait dit savoir où se trouvait la maison du Hobbit, tout en ajoutant qu'elle était loin dans les bois et que nous aurions du mal à y accéder à pied. Je les ai priés de m'indiquer quand même la direction de la maison du Hobbit, et ils nous ont dit comment nous y rendre. En fait, la maison était assez éloignée de l'endroit où nous étions garés. Pour le moment, Becca et moi avions davantage envie d'inspecter les alentours du virage et de localiser le coin où les rituels avaient eu lieu. Après avoir remercié le couple d'avoir pris le temps de nous parler, nous avons traversé le ravin et pris la direction que l'homme nous avait indiquée.

LES BRUITS DE LA FORÊT

Le remblai donnant sur le ravin était très à pic et couvert d'épaisses broussailles. Nous commencions à nous demander comment l'équipe réussirait à traverser le bois à la noirceur. À l'évidence, il fallait prévoir des vêtements épais et des bottes de randonnée, en plus d'une trousse de premiers soins. Avant de descendre dans le ravin, nous avons vérifié le signal de nos cellulaires. La réception était faible, mais nous avons conclu que nous pourrions faire un appel en cas d'urgence.

Pendant que nous franchissions le ravin et que nous escaladions le sentier de l'autre côté, je commençais à comprendre d'où venait la réputation de lieu hanté d'Okie Pinokie. Sans que nous ayons entendu ou vu quoi que ce soit d'inhabituel, il y avait dans ces bois quelque chose qui inspirait le mystère. Le paysage ressemblait davantage à un mirage qu'à une forêt. On aurait dit que la nature elle-même dissimulait sciemment quelque chose de surnaturel en son centre. Il y avait une présence ici. Mais, il serait peut-être plus approprié de parler d'*intelligence*. Loin au pied de la colline coulait une rivière dont l'eau était brunie par la boue. De plus, les récentes pluies qui s'étaient abattues sur la région avaient transformé les sentiers des randonneurs en bourbiers. Ces sentiers boueux représentaient un autre danger auquel nous pourrions être confrontés durant notre enquête nocturne. Cela faisait moins de 45 min que nous étions à Okie Pinokie, et nous voyions déjà clairement les difficultés que nous aurions à enquêter dans le secteur. Mais, pour le moment, le sommet de la colline était l'endroit rêvé pour tester une des légendes d'Okie Pinokie.

Comme je l'ai mentionné, une des légendes entourant Okie Pinokie est que si vous sifflez dans les bois, quelqu'un vous répondra en sifflant. Logiquement, les responsables de ces sifflements auraient dû être des personnes vivantes, non des fantômes, comme le prétendaient de nombreux rapports. Je ne dis pas que je ne crois pas que les fantômes soient capables d'une réponse audible, mais plutôt qu'une cause rationnelle me semblait beaucoup plus probable qu'une explication paranormale. Quoi qu'il en soit, j'avais décidé de tenter le coup.

Je suis un siffleur médiocre, mais j'ai fait de mon mieux pour émettre quelques bons sifflements. Pas de réponse. Toutefois, en voulant vérifier la légende, j'ai découvert quelque chose de fort intéressant : les ondes sonores ne vont pas très loin à Okie Pinokie. C'était inattendu. Apparemment, le terrain est configuré de telle façon que les sons tombent à plat. Les pics et les vallées d'Okie Pinokie ne permettent tout simplement pas une bonne acoustique. J'ai également remarqué que si nous étions séparés l'un de l'autre de plus de cinq mètres, Becca et moi, nous avions beaucoup de mal à comprendre ce que disait l'autre. Nous n'avons pas pu vérifier comment (et si), exactement, les piètres propriétés acoustiques de la forêt jouaient un rôle dans la légende. Durant son enquête nocturne, WISP procéderait à des tests de son plus approfondis, mais il nous restait une quantité considérable de terrain à couvrir durant notre reconnaissance de jour. Il fallait que nous localisions la maison du Hobbit et le coin où les rituels avaient eu lieu.

MALICE OU MAGIE ?

Il nous a fallu plus d'une heure pour localiser l'endroit, dans la forêt, où les rituels (soi-disant sataniques) avaient eu lieu, et lorsque nous l'avons trouvé, nous étions déjà à bout de souffle. Les sentiers abrupts et boueux avaient été très exigeants, autant physiquement que psychologiquement, mais nous savions qu'il nous faudrait trouver la motivation pour continuer à avancer.

De prime abord, l'espace des rituels nous a paru bien utilisé et construit intelligemment. On s'était servi de grosses branches tombées des arbres pour délimiter un carré autour de l'espace rituel. De toute évidence, des feux de camp avaient été allumés à l'intérieur de cet espace, en dépit du gros écriteau planté près de l'entrée d'Okie Pinokie, indiquant qu'il était interdit d'allumer des feux dans les bois. Devant un aussi flagrant mépris pour la prévention des incendies de forêt, je me suis demandé quels genres d'individus avaient accompli ces rituels. J'ai pensé : un magicien expérimenté ne mettrait jamais la forêt et ses habitants en danger pour le simple plaisir d'effectuer un rituel par le feu. La seule pensée que quelqu'un pouvait faire une chose pareille me mettait en colère.

Les pierres peintes dont le couple nous avait parlé encerclaient l'espace rituel. En observant minutieusement les pierres et les symboles qu'on y avait peints, je me suis aussitôt rappelé l'espace rituel que nous avions découvert à Munchkinland, durant une de nos premières enquêtes. Comme les symboles à la craie découverts à Munchkinland, les symboles peints sur ces pierres semblaient avoir été tracés au hasard et me paraissaient privés de sens ; j'avais l'impression qu'il n'y avait pas de correspondance magique entre eux. On aurait dit que quelqu'un avait apporté un livre sur les symboles et avait décoré les pierres avec les figures que les participants trouvaient les plus chouettes. Une des pierres avait été peinte avec un ânkh et un svastika, une autre avec un pentagramme inversé et le symbole astrologique du Taureau. Ces symboles sans lien me faisaient penser à un groupe de pseudo-magiciens essayant d'entrer en communication avec les fantômes et invoquant plutôt un Taureau nazi satanique avec un penchant pour l'Égypte ancienne.

Néanmoins, il y avait quelque chose de troublant dans l'aire des rituels. Cela nous mettait mal à l'aise, Becca et moi. Nous sentions ici une énergie qui paraissait vieille et maléfique. Nous comprenions maintenant pourquoi les chevaux pouvaient se cabrer en passant trop près de ces pierres. Becca et moi étions d'accord pour dire qu'il fallait absolument enquêter sur l'aire des rituels avec le reste de l'équipe. Mais, aussi fascinante (pour ne pas dire mystifiante) que pût être l'aire des rituels, la nuit ferait bientôt place au jour et nous n'avions pas encore localisé la maison du Hobbit. Nous étions assez loin de notre véhicule et, d'après les directions qu'on nous avait données, la maison du Hobbit était à quelques kilomètres dans la direction opposée du lieu où nous étions garés. Il était plus que temps de se remettre en route.

En reprenant le chemin qui menait au cercle où la fourgonnette était garée, nous avons commencé à entendre des murmures dans les bois. Nous avons regardé tout autour de nous. Il n'y avait pas âme qui vive, et nous avions déjà déterminé que les ondes sonores ne voyageaient pas bien dans la forêt. Nous ne pouvions pas nous expliquer ces étranges voix. Tout en marchant, nous avons commencé à poser des questions simples dans l'espoir de capter des réponses sur nos enregistreurs numériques. Tandis que nous approchions du ravin que nous avions franchi pour nous rendre jusqu'à l'aire des rituels, quelque chose d'invisible a frappé le front de Becca. Le coup était suffisamment puissant pour lui faire pousser un cri de douleur. J'ai essayé de discuter avec elle de ce qui venait de se produire, mais elle m'a coupé la parole. « Je ne me sens plus la bienvenue dans cette partie de la forêt », a-t-elle dit. Je l'ai prise par la main, nous avons retraversé le ravin et nous sommes sortis de la forêt.

HOBBITS, FANTÔMES ET IPHONES

En approchant du virage où la fourgonnette était garée, nous avons vu qu'il commençait à y avoir du monde à Okie Pinokie. Pas moins de trois camionnettes étaient garées près de la fourgonnette, et il y avait au moins autant de groupes de cavaliers à cheval. Pendant que Becca rangeait notre matériel photographique dans la fourgonnette, je me suis avancé vers un des groupes de cavaliers et leur ai demandé de m'indiquer plus clairement la direction de la maison du Hobbit. Ils étaient plus qu'heureux de m'aider, mais une des femmes m'a informé qu'il nous faudrait plus d'une heure pour nous rendre à la maison du Hobbit à pied. C'était embêtant. L'après-midi était déjà bien entamé, et ce n'était pas une très bonne idée d'entreprendre une randonnée de deux heures – aller et retour – jusqu'à la maison du Hobbit, si tard dans la journée. Le terrain accidenté avait déjà exigé beaucoup d'efforts physiques, et nous étions à court d'énergie et déshydratés, Becca et moi.

Après une brève discussion, nous avons décidé de localiser le sentier menant à la maison du Hobbit, mais d'attendre que l'équipe soit au complet pour entreprendre cette escapade. Il nous apparaissait alors évident que pour avoir la moindre chance de mener une enquête complète, il faudrait que l'équipe revienne à Okie Pinokie tôt un autre jour et qu'elle y reste jusque tard dans la nuit. Nous avons également pensé qu'il nous faudrait peut-être faire plusieurs voyages jusqu'à Okie Pinokie, pour réussir à couvrir tous les coins où nous voulions enquêter. Avec ces nouvelles directions et une bonne idée de ce à quoi nous pouvions nous attendre la prochaine fois, nous avons repris la voiture et sommes partis à la recherche du sentier menant à la maison du Hobbit.

La cavalière m'avait dit que la meilleure façon de trouver le sentier que nous cherchions était de refaire la route en sens inverse et de chercher une clôture de métal un peu en retrait sur le côté droit de la route. En approchant de l'embranchement menant à la clôture et au sentier qui était un peu plus loin, Becca m'a demandé d'arrêter la fourgonnette. Elle avait vu quelque chose traverser la route devant nous, quelque chose qu'elle ne pouvait expliquer.

— Qu'est-ce que tu as vu ? ai-je demandé en ralentissant et en arrêtant la voiture au bord de la route. En regardant droit devant, j'ai vu que nous étions à moins de cinq mètres de l'embranchement du sentier.

— Je ne suis pas sûre, a-t-elle répondu. Je n'ai pas les mots pour le dire, mais on aurait dit un déplacement d'air.

— Un déplacement d'air ? Que veux-tu dire au juste ?

— Tu sais, a-t-elle commencé, quelque chose a bougé sur le chemin, mais je n'ai pas bien vu de quoi il s'agissait. C'était comme un miroitement se déplaçant dans les airs.

— Comme dans *Le Prédateur* ? ai-je demandé.

— Oui. Comme dans *Le Prédateur*.

Je faisais référence au film de 1987 mettant en vedette Arnold Schwarzenegger. Dans ce film, le Prédateur (un extraterrestre) possède un dispositif secret qui imite l'environnement pour se soustraire à la vue. Le dispositif en question produit parfois un faible miroitement de lumière, un phénomène visuel semblable à un déplacement d'air.

Sans prétendre qu'Okie Pinokie est envahi par les extraterrestres, j'ai postulé qu'un fantôme partiellement matérialisé avait créé le phénomène visuel que Becca venait de voir. Comme nous étions garés tout près de l'embranchement du sentier menant à la maison du Hobbit, Becca avait décidé de sortir du véhicule et de prendre quelques photographies pour voir si elle pouvait saisir le phénomène avec son appareil. Après avoir pris quelques clichés, nous avons marché jusqu'à l'embranchement.

Les bois entourant le sentier du Hobbit paraissaient différents des parties d'Okie Pinokie que nous avions arpentées jusque-là. L'endroit était tranquille et serein, et pourtant, nous pouvions sentir une présence invisible. Ici, la forêt semblait lourde des fantômes du passé. Juste devant nous, au sommet d'une colline abrupte, se trouvait l'entrée du sentier que nous cherchions. Pendant que Becca s'attardait pour prendre d'autres photographies, je me suis aventuré jusqu'au sommet de la colline pour avoir un meilleur point de vue. Comme le reste d'Okie Pinokie, le sentier du Hobbit était terriblement boueux et, au moins pour le moment, il était tout sauf impraticable. En rejoignant Becca 10 min plus tard, j'ai découvert qu'elle était occupée à une activité plutôt inhabituelle. Elle traquait les fantômes à l'aide de son iPhone.

Tous ceux qui connaissent Becca personnellement savent qu'elle adore les gadgets. Elle a installé de nombreuses applications sur son iPhone, dont une est un appareil appelé Ghost Radar®. Les créateurs de Ghost Radar® (une compagnie appelée Spud Pickles) affirment que leur application peut détecter l'activité paranormale en utilisant des senseurs internes situés à l'intérieur des iPhones et d'autres dispositifs électroniques manuels. Vous trouverez ci-après une description du Ghost Radar® et de son fonctionnement, prise directement sur le site web de Spud Pickles[8] :

> *Le Ghost Radar est une application portable conçue pour détecter l'activité paranormale… Le Ghost Radar tente de détecter l'activité paranormale en utilisant divers senseurs sur l'appareil sur lequel il fonctionne. Comme le matériel traditionnel de détection paranormale, le Ghost Radar emploie des senseurs qui mesurent les champs électromagnétiques, les vibrations et les sons. Cependant, le matériel paranormal traditionnel peut facilement être biaisé sous l'effet de banales explosions de champs magnétiques normaux, des vibrations et des sons. Le Ghost Radar se classe à part, parce qu'il analyse les lectures sur les senseurs qui fournissent des indications seulement lorsque les lectures ont donné des modèles intéressants.*

D'accord. Regardons cela d'un point de vue logique. Tandis qu'un iPhone peut presque certainement détecter des sons, voire des vibrations, pour moi, l'idée d'un appareil contenant des senseurs pouvant détecter des champs électromagnétiques était risible. Mais, après avoir fait une brève recherche Internet sur mon iPhone, j'ai découvert que j'avais tort. Apparemment, les champs électromagnétiques peuvent influer sur la boussole interne d'un iPhone. Néanmoins, j'avais toujours du mal à croire qu'un téléphone cellulaire puisse détecter l'activité paranormale. Mais ce qui s'est produit ensuite est venu ébranler mes convictions.

D'après le Ghost Radar® de Becca, il y avait trois fantômes dans notre entourage immédiat. En regardant dans la direction où le radar indiquait l'activité, j'ai vu le même miroitement que Becca avait vu plus tôt. Autour du miroitement, j'ai vu le phénomène visuel auquel elle avait fait référence comme à un « déplacement d'air ». Mais cela ne ressemblait à rien de tout ce que j'avais vu

---

8. www.spudpickles.com/.

auparavant. Le coin dans lequel le déplacement d'air se produisait était bien ombragé. Il était peu probable que ce miroitement ait été causé par le soleil ou par des ondes de chaleur montant de la terre. Le miroitement s'est vite évanoui devant nos yeux et, sur ce, le Ghost Radar® a « dit » quatre mots à haute voix : *foule, près, déplace* et *chien*. Nous étions fascinés, Becca et moi. Moins d'une minute plus tard, un groupe plus important de cavaliers à cheval a tourné le coin et nous est apparu. Un chien courait derrière les cavaliers. Un pointeur bleu, pour être exact.

Outre sa capacité à détecter l'activité paranormale, le Ghost Radar® pourrait aussi capter les voix désincarnées des morts et les rejouer sur les haut-parleurs du iPhone. Après ce que nous venions de voir et d'entendre, nous commencions à y croire. Jusqu'ici, le Ghost Radar® avait montré une précision qui dépassait de loin tout ce que nous aurions pu attribuer à une simple coïncidence. À l'évidence, il y avait une intelligence paranormale à l'œuvre ici. Mais pour poursuivre la communication avec les fantômes, il nous faudrait attendre de revenir avec l'équipe au complet. Le soleil commençait à descendre et, sans nos lampes de poche ni l'équipement nécessaire, Becca et moi étions mal préparés pour mener une enquête nocturne seuls. Laissant les fantômes d'Okie Pinokie en paix, nous avons refait la longue route jusqu'à la maison et avons entrepris de trier les preuves recueillies. Ce que nous avions capté sur nos enregistreurs audio était tout simplement incroyable.

Un nombre impressionnant de PVE avaient été captés par nos enregistreurs audio durant notre enquête diurne à Okie Pinokie. Tellement impressionnant, en fait, que je ferai un accroc au protocole habituel et dresserai la liste des PVE diurnes séparément des PVE captés par WISP durant l'enquête nocturne. Les PVE ci-après sont de catégories A et B, et peuvent donc être soumis comme preuves. Cependant, veuillez noter que de nombreux autres PVE ont été captés en plein jour, des PVE qui étaient soit indéterminés, soit de trop piètre qualité pour être soumis comme preuves. Les

PVE diurnes ayant la qualité que WISP a réussi à capter à Okie Pinokie sont rares, et j'espère qu'ils vous fascineront autant qu'ils nous ont fascinés.

PVE DIURNES D'OKIE PINOKIE EN ORDRE CHRONOLOGIQUE DE CAPTATION

- Tandis que Becca et moi franchissons le ravin, une voix féminine désincarnée a été captée, disant : « Suivez le canal. »
- Lorsque je dis à Becca que la maison du Hobbit est « par-là, derrière », une voix masculine désincarnée demande : « Où ? » Fait intéressant, on entend une note de musique juste au moment où la voix commence à parler. La note est semblable au son et au ton que pourrait produire un instrument à cordes.
- Une jeune voix masculine désincarnée prononce le mot « Parle ».
- Pendant que Becca répète les mots : « Test, un, deux, trois », après avoir eu un bref problème avec son enregistreur audionumérique, une voix féminine persifleuse dit : « Arrêtez. »
- Pendant que je siffle pour tenter de susciter une réponse selon la légende, une voix masculine déclare clairement : « Je vous parie que quelqu'un va réagir à cela. » Le ton de cette voix est unique et ne ressemble à aucune voix captée par WISP jusqu'à maintenant. Cette voix semble très près du micro de l'enregistreur et ressemble assez à celle d'un troll (je ne trouve pas de meilleur terme). Immédiatement après la captation de cette voix, je dis : « Je pensais avoir entendu quelque chose. »
  Une voix spectrale dit : « Hoooooo. » Cette voix semble très près de l'endroit où nous étions et elle était audible au moment de la captation. En fait, on nous entend, Becca et

moi, en train d'imiter la voix pour vérifier si nous avions entendu la même chose. Eh bien oui.

- Pendant que Becca se plaint des moustiques et de l'herbe à puce, une voix féminine désincarnée dit : « Je vois un homme dans les pierres. » L'accent traînant du Sud est parfaitement perceptible dans la voix et, au moment de la captation, j'étais au milieu de plusieurs gros rochers.
- Lorsque je dis : « Allô ? », une voix masculine désincarnée réplique : « Salut. »
- La deuxième fois que Becca aperçoit le phénomène de déplacement d'air, une voix féminine désincarnée prononce les mots « soleil » et « voler ».
- Pendant que Becca ouvre l'application Ghost Radar® sur son iPhone (qu'elle appelle par erreur « Ghost Talker » en français : celui qui parle aux fantômes), une voix féminine demande : « Est-ce que ça parle ? »

STÉPHANIE : LA FILLETTE PERDUE DE LA FORÊT

Avant de retourner à Okie Pinokie avec toute l'équipe, WISP a fouillé Internet à la recherche de tous les renseignements possibles sur Stéphanie, la fillette perdue de la forêt. Malgré des heures de recherche, nous n'avions pas appris grand-chose de plus que ce que nous savions déjà. Nous savions que (1) une fillette de sept ans, prénommée Stéphanie, aurait été torturée et assassinée à Okie Pinokie et que (2), certaines nuits, on peut encore l'entendre crier et voir son fantôme errer dans la forêt.

UN JEUNE ENQUÊTEUR

À 14 h le 5 septembre 2010, WISP partit à destination d'Okie Pinokie avec un nouveau membre dans son équipe, Ryan, le fils de 12 ans de Becca. La veille de l'enquête, une puissante tempête de vent avait soufflé sur la ville où j'habite, abattant un arbre énorme dans ma cour et enterrant la fourgonnette de WISP sous un amas de lourdes branches. Par une chance inouïe, la fourgonnette n'a pas été endommagée, mais Sam, Ryan et moi avons dû passer l'avant-midi entier à nettoyer tous les débris. Ça commençait mal, vu que l'enquête d'Okie Pinokie promettait de mettre notre endurance physique à rude épreuve.

Après que l'arbre ait été dégagé, Ryan m'a demandé s'il pouvait se joindre à nous dans l'enquête, un genre de faveur pour le remercier de nous avoir donné un coup de main. Même si j'avais toujours refusé de laisser quiconque se joindre à nos enquêtes dans le passé, Ryan avait été élevé dans un foyer païen et connaissait les principes élémentaires de la magie, autant que la manière dont l'équipe menait ses enquêtes. En fait, j'avais déjà pensé lui permettre de se joindre à nous un de ces jours. Après avoir brièvement discuté du protocole avec Ryan, j'ai accepté qu'il nous accompagne à Okie Pinokie.

L'ARRIVÉE

À notre arrivée à Okie Pinokie, la place grouillait d'activité humaine. C'était la fin de semaine de la fête du Travail, et les sentiers et les bois étaient remplis de cavaliers à cheval. Bien sûr, nous nous étions attendus à trouver une foule de vacanciers et nous comptions sur le fait que cela allait se calmer à la tombée de la nuit. Pendant que nous installions notre camp de base aux confins du virage, les habitants du coin ont commencé à s'intéresser à nous. Nous ne pouvions pas leur en vouloir. Notre camp de base était élaboré. Nous avions apporté des glacières remplies de nourriture et de Gatorade et cinq chaises pliantes, en plus de trois tables pliantes pour pouvoir y déposer tout notre attirail de gadgets scientifiques et métaphysiques.

En fait, notre camp de base était tellement important que nous avons mis presque deux heures à tout préparer, si bien qu'il ne nous restait plus que deux précieuses heures pour profiter de la lumière du jour. Il nous restait à vérifier que notre équipement fonctionnait bien et à localiser la maison du Hobbit.

PROMENADE À TRAVERS BOIS

Alors que Becca, Sam et Ryan restaient au camp de base, Amber et moi nous sommes aventurés dans la forêt afin de trouver la maison du Hobbit. Nous n'avons eu aucun mal à localiser l'entrée du sentier, mais à notre grand désarroi, nous avons constaté qu'il était jonché de branches allant dans toutes les directions. Contrairement au reste d'Okie Pinokie, il n'y avait pas d'activité humaine dans cette partie de la forêt et, sans indice pour nous repérer, nous allions devoir nous fier sur notre instinct pour localiser la maison du Hobbit – une tâche beaucoup plus facile à dire qu'à faire, comme nous nous en sommes vite rendu compte.

Grâce à nos recherches, nous savions que la maison du Hobbit était visible du sentier. Mais le printemps et l'été dans le nord de l'Indiana avaient été chauds et humides, et les pousses des jeunes arbres et autre végétation avaient envahi la forêt. Il était tout à fait possible que nous passions devant la maison du Hobbit sans la voir. Et c'est exactement ce qui s'est produit. Après plus d'une heure de marche sans apercevoir la maison du Hobbit, sur le point d'abandonner et de concentrer nos efforts sur d'autres aspects de la légende, nous avons plutôt décidé de continuer à avancer tant que nous n'arriverions pas au bout du sentier. Hantés ou pas, les bois qui entouraient Okie Pinokie étaient d'une beauté indescriptible et, en dépit de l'effort physique, Amber et moi profitions à plein de cette randonnée en forêt.

Après avoir pris le temps de souffler et d'enregistrer quelques PVE en bordure de la forêt, nous avons repris le sentier à rebours pour retourner au camp de base. Tout en marchant, nous cherchions désespérément la maison du Hobbit. Nous l'avons trouvée 10 min plus tard. Comme nous l'avions prédit, les broussailles l'avaient dissimulée à la vue, et c'est tout à fait par hasard que j'ai aperçu à travers bois une tache sombre qui me paraissait trop uniforme pour être naturelle. C'était l'entrée de la maison du Hobbit.

En nous frayant un chemin parmi les branchages, Amber et moi nous félicitions que nos efforts n'aient pas été vains. Nous étions tellement ravis, en fait, qu'aussitôt arrivés à la maison du Hobbit, nous avons rampé à l'intérieur, ignorants du fait que la petite structure grouillait d'araignées. Recroquevillés à l'intérieur de la maison du Hobbit, nous sentions circuler l'énergie laissée là par nos prédécesseurs. Nous pouvions également sentir une présence invisible dans la forêt, mais nous étions d'accord pour dire que toutes ces impressions pouvaient simplement être les échos de la légende d'Okie Pinokie jouant des tours à notre inconscient. Aussi plaisant qu'il nous semblât d'être dans la maison du Hobbit et de réfléchir à cette question, nous savions que nous ne pourrions pas rester longtemps. Les rayons du soleil qui filtraient à travers les arbres s'estompaient, et nous avions une longue marche à faire pour retourner à notre camp de base.

En quittant la maison du Hobbit, nous avons marqué le sentier avec des flèches fabriquées à l'aide des branches tombées. Nous prévoyions revenir à la tombée de la nuit, et ces marqueurs seraient fort utiles pour retrouver notre chemin dans la forêt à la noirceur. Mais en arrivant au camp de base, nous avons compris que des circonstances imprévisibles allaient obliger l'équipe WISP à changer tous ses plans.

CHASSEURS DE FANTÔMES EN FORMATION

Nous avons tout de suite vu, Amber et moi, que Sam et Becca étaient contrariés. Pendant que nous étions dans les bois, trois adolescents étaient arrivés et s'étaient garés à côté de nous. Zieutant notre équipement, les adolescents avaient demandé s'ils pouvaient participer à l'enquête. Becca leur avait dit qu'Amber et moi étions dans la forêt pour trouver la maison du Hobbit et qu'ils devraient attendre notre retour pour avoir la permission de prendre part à la chasse. Becca savait que je serais réticent à cette idée. Puis Sam m'a dit qu'avec ou sans notre aide, les adolescents étaient bien décidés à enquêter à Okie Pinokie, et qu'ils étaient retournés en ville pour y chercher des lampes de poche et des bouteilles d'eau. Ce qui l'inquiétait, c'était que si je ne permettais pas aux adolescents de nous accompagner, ils pourraient interrompre notre enquête et peut-être même nous jouer de vilains tours. Il ajouta que les adolescents lui avaient semblé très « sympas ». J'ai tout de suite su qu'il nous faudrait changer nos plans du tout au tout. Pas moyen d'y échapper.

Mais, à la surprise générale (moi inclus), je n'étais pas si fâché de ce changement. En regardant Ryan (assis à une des tables en train de jouer avec l'appareil Ghost Radar® de sa mère), je me sentais secrètement fébrile à l'idée de diriger un groupe de jeunes dans une chasse aux fantômes à Okie Pinokie. Je me rappelais les soirs d'été de ma jeunesse et comment, mes amis et moi, avions l'habitude d'arpenter les cimetières dans l'espoir de rencontrer un fantôme. Ou de se donner un petit frisson. Ces souvenirs m'ont fait sourire de bon cœur. Je me disais également que si les jeunes avaient des problèmes avec les habitants du coin (et cela était très possible, d'après ce que j'avais lu dans les rapports sur Okie Pinokie), il y aurait des adultes pour les protéger.

Le soleil commençait à décliner et les trois garçons (Rodney, Jordon et Steve) étaient de retour ; je me suis assis avec eux pour discuter du protocole et de mes conditions pour leur permettre de nous accompagner. Je m'inquiétais particulièrement d'une contamination possible des preuves audio et photographiques. Les garçons comprenaient qu'outre mes inquiétudes concernant l'enquête, je me souciais également de la sécurité. Ils promirent d'être respectueux et d'obéir à mes ordres sans poser de question. Après avoir attaché les enregistreurs audio aux bras des garçons, puis attaché des bâtons phosphorescents aux boucles de leurs ceintures, afin de savoir en tout temps où ils étaient dans le noir, Amber, Ryan et moi les avons conduits dans les bois, tandis que Sam et Becca restaient au camp de base pour ajouter des mises à jour sur Twitter et mener leur propre enquête. En conduisant cette équipe d'amateurs sur le sentier et dans la forêt, je me sentais comme un chef scout menant ses troupes sans méfiance dans une chasse à la bécassine.

LES ANCIENS ET LES NOUVEAUX

Tout en guidant les garçons le long du sentier de la maison du Hobbit, nous nous sommes rendu compte, Amber et moi, que la radio bidirectionnelle que nous avions achetée pour rester en communication avec le camp de base était totalement inutilisable. Nous pouvions envoyer et recevoir des messages, mais ils étaient brouillés et remplis d'électricité statique. Heureusement, le bouton pour parler sur le cellulaire d'Amber fonctionnait à merveille, et nous avons pu nous en servir sans problème pour communiquer avec Sam. Il était indispensable de pouvoir communiquer avec le camp de base si nous voulions poursuivre notre enquête. Il n'était pas question que je guide un groupe d'adolescents dans la forêt à la noirceur, sans être en mesure de demander de l'aide en cas d'urgence.

Nous sommes vite arrivés au premier marqueur de sentier que nous avions laissé plus tôt, Amber et moi. Le marqueur était toujours à sa place, ce qui était rassurant. Cela voulait dire que nous pouvions continuer à chasser. En remontant le sentier, je n'ai pas pu m'empêcher de remarquer que la forêt était beaucoup plus effrayante la nuit. Il y faisait un noir d'encre, et même nos lampes de poche et nos bâtons phosphorescents paraissaient ternes dans l'obscurité environnante. La forêt était remplie des appels insistants des chouettes et des oiseaux de nuit, et je me demandais si ces bruits n'étaient pas en partie responsables de la légende d'Okie Pinokie. Plusieurs de ces appels ressemblaient à des gémissements et à des hurlements. De très loin, nous entendions les échos des voix des habitants du coin qui étaient restés là après le coucher du soleil. J'ai rappelé à mes coéquipiers de noter tous les bruits humains qu'ils percevaient sur leurs enregistreurs vocaux, afin que je ne les confonde pas avec des PVE en réécoutant les enregistrements des preuves.

Nous sommes arrivés au deuxième marqueur de sentier, puis au troisième. Nous étions très près de la maison du Hobbit. À notre droite, nous avons vu une lueur verte étrange émanant des bois. Elle était tout près de la maison du Hobbit. En quittant le sentier, nous avons découvert que la lueur verte montait de la terre, directement devant la maison du Hobbit. Amber et moi avons vite déduit que cela était causé par une peinture phosphorescente ou une autre substance créée par la main de l'homme, qui avait été renversée ou versée délibérément sur le sol. Cette lueur n'avait rien de paranormal. C'est alors que nous avons commencé à nous demander si la légende d'Okie Pinokie n'était pas qu'un énorme canular. Mais, canular ou pas, nous étions là pour enquêter.

Pendant qu'Amber tournait une vidéo des lieux, je scrutais l'intérieur de la maison du Hobbit à l'aide de ma lampe de poche. Les araignées accrochées aux murs et au plafond avaient triplé en nombre, et il n'était pas question que j'y entre une seconde fois. Tandis que je m'agenouillais devant l'entrée, Rodney, le plus âgé des trois garçons, nous a répété une histoire intéressante que lui avait raconté un de ses amis. Son ami lui avait dit avoir visité la maison du Hobbit et avoir trouvé une note manuscrite à l'intérieur. La note, qui avait été roulée, attachée par une ficelle et scellée dans un bocal en verre, disait ceci : *Félicitations ! Vous avez trouvé la hutte de l'enfer. Montez sur le toit de la hutte de l'enfer et suivez le chemin de l'illumination.*

La peinture phosphorescente prenait maintenant tout son sens. J'ai demandé à Rodney de faire ce qui était écrit sur la note. Il s'est agilement hissé sur le toit de la structure de 1,20 m de hauteur et a scruté l'endroit avec sa lampe de poche. Au même moment, j'ai pris une série de photographies à l'aide de mon appareil fixe et, tandis que le flash de l'appareil éclairait les bois, j'ai vu des flèches de lumière sortir des arbres. Au début, j'ai pensé que c'étaient les yeux de créatures de la forêt telles que des écureuils et des ratons laveurs. Mais je me trompais. En m'approchant d'un des arbres qui avait lancé des éclairs, j'ai vu que l'on avait enfoncé de gros clous dans le tronc et que les têtes des clous avaient été enduites de peinture réfléchissante. J'ai pensé : *suivez le sentier de l'illumination*. De toute évidence, c'était l'œuvre de farceurs ou de chasseurs de trésor. Je ne percevais aucune activité paranormale dans les alentours.

Mais cela était sur le point de changer.

Pendant que Ryan restait près de la maison du Hobbit pour tester le Ghost Radar® de sa mère, j'ai voulu vérifier ce que je considérais comme la partie la moins probable de la légende d'Okie Pinokie. La légende de Stéphanie. Lorsque j'ai sifflé très fort, j'ai tout de suite remarqué que les ondes sonores voyageaient beaucoup plus loin dans Okie Pinokie le soir qu'elles ne l'avaient fait durant notre enquête diurne. Je n'ai obtenu aucune réponse à mon sifflement. J'ai appelé : « Stéphanie, Stéphanie, es-tu là ? » Pas un son. Pas la moindre réaction.

J'étais sur le point d'annuler l'enquête en raison du manque d'activité quand, tout à coup, nous avons entendu des murmures et des bruits de pas autour de nous. Les bruits étaient tout près. J'ai allumé ma lampe de poche et l'ai braquée sur la maison. Les quatre garçons ont fait comme moi. Les bruits ont cessé. Il n'y avait personne. J'ai ensuite dit aux garçons d'éteindre leurs lampes de poche, ce qu'ils ont fait sans tarder.

Aussitôt nos lampes de poche éteintes, les murmures et les bruits de pas ont repris. J'ai commencé à poser des questions simples dans l'espoir de capter une réponse sur mon enregistreur, pendant qu'Amber tournait sa vidéo à l'aide d'un caméscope auquel

Sam avait ajouté de puissantes lumières infrarouges. Si quelque chose de paranormal apparaissait, elle était certaine de le capter sur vidéo. C'est alors que Ryan nous a annoncé que son Ghost Radar® montrait trois entités paranormales tout près. J'ai fait fi de cette information jusqu'à ce que le Ghost Radar® commence à « parler » tout haut en prononçant des mots intéressants. Ces mots étaient *fille, caveau, vivante, seule, perdue* et *eux-mêmes*. Les mots étaient suivis du nom *Bronwen*.

Même si je ne me fiais toujours pas à l'exactitude du Ghost Radar®, ces mots avaient piqué ma curiosité. Nous avons passé l'heure qui a suivi, près de la maison du Hobbit, à tourner une vidéo et à essayer de capter les voix des morts sur nos enregistreurs audio, mais il ne se produisit rien d'autre d'extraordinaire en notre présence. Il était près de minuit, et nous avions une longue marche à faire pour rejoindre le camp de base. Il était temps de sortir de la forêt.

Quelque part le long du sentier menant au camp, nous avons pris le mauvais embranchement. Nous nous sommes perdus pendant quelques minutes, mais Amber a vite compris ce qui s'était passé. Un de nos marqueurs de sentier avait été déplacé et nous avait indiqué la mauvaise direction. Soit les fantômes d'Okie Pinokie avaient un fin sens de l'humour, soit quelqu'un que nous ne connaissions pas nous suivait dans la forêt. La simple pensée de l'une ou l'autre de ces deux éventualités avait mis mes sens aux aguets. Amber et moi avions emmené quatre jeunes garçons (dont trois mineurs) avec nous, et leur sécurité était notre principale préoccupation.

Nous avancions plus lentement à présent, scrutant les deux côtés du sentier à l'aide de nos lampes de poche, afin d'y déceler le moindre signe de présence humaine. En arrivant dans un détour anguleux du sentier, j'ai aperçu quelque chose dans le faisceau de ma lampe de poche. Une chose sur laquelle j'ai eu du mal à focaliser mon esprit. Amber et Ryan l'ont vue, eux aussi. Ainsi que Rodney.

Dans les bois le long du sentier, trois apparitions miroitantes flottaient à 45 cm environ au-dessus du sol. Je comprenais enfin ce qu'avait vu Becca durant notre enquête diurne. Les apparitions sont restées quelques secondes avant de disparaître. Même s'il ne les avait pas vues, Steve, le plus jeune des quatre garçons, a été pris de panique. Amber et moi sommes tout de suite allés le voir et lui avons dit pour le rassurer : « Ça va aller », mais nous n'en étions pas si sûrs. Nous étions encore au creux de la forêt et nous n'avions aucune idée de ce que nous pourrions encore rencontrer d'humain ou d'inhumain. Si nous avions été seuls, nous serions restés pour enquêter, mais pour le moment, la seule chose qui nous importait, c'était de faire sortir les jeunes de la forêt en toute sécurité. Nous en sommes ressortis 30 minutes plus tard.

LES VRAIS FANTÔMES DE LA FORÊT

Nous étions de retour au camp de base, dans un autre débordement d'activité humaine. Sam et Becca avaient l'air furieux. Nous avions vu plusieurs paires de phares traverser la route pendant que nous marchions dans le bois, et maintenant, Sam et Becca constataient que pas moins de six véhicules s'étaient arrêtés dans le virage pendant notre absence. L'un de ces véhicules était toujours garé à environ 8 mètres de notre camp. Sam nous a informés que les occupants du véhicule (un autre groupe d'adolescents) s'étaient aventurés dans la forêt, dans la direction opposée à la maison du Hobbit, et qu'ils ne les avaient pas revus depuis. Il nous a également dit que les voitures avaient continué de parader, si bien que lui et Becca n'avaient pas pu mener leur enquête, ni même effectuer la plupart de leurs expérimentations, tel que prévu.

À l'évidence, nos coéquipiers n'étaient pas très heureux de tous ces contretemps. Becca nous a demandé si nous avions eu plus de chance dans les bois mais, avant que nous puissions répondre, un autre groupe de cavaliers à cheval est apparu sur le chemin et s'est approché de notre camp. Mais ce groupe était différent des autres cavaliers que nous avions rencontrés à Okie Pinokie. J'ai reconnu des cavaliers que j'avais vus sur des vidéos et des photographies sur YouTube et dans Internet. C'étaient ces cavaliers qui s'étaient eux-mêmes surnommés *les vrais fantômes de la forêt*.

Naturellement, les cavaliers se sont intéressés à ce que faisait l'équipe WISP et ils nous ont demandé si nous menions une enquête paranormale. Nous nous sommes présentés et leur avons dit qu'effectivement nous étions des enquêteurs du paranormal à la recherche de la légende d'Okie Pinokie. Deux des femmes du groupe (qui à l'évidence étaient intoxiquées) ont pouffé de rire. En fait, les cavaliers nous ont tout de suite admis être sous l'influence de l'alcool et se sont présentés comme (ta-dam !) « les vrais fantômes de la forêt ». Après une longue conversation, ils ont avoué que ce qui les amusait le plus, c'était de jouer des tours aux jeunes qui venaient à Okie Pinokie pour y chasser les fantômes. Comme par enchantement, les adolescents qui s'étaient garés près de notre camp et étaient partis à travers bois sont arrivés sur ces entrefaites. En apercevant les adolescents, les « fantômes » nous ont jeté un regard entendu et ont dit : « On a du pain sur la planche. » Ils nous ont remerciés pour la conversation et se sont avancés vers les adolescents pour faire ce qu'ils faisaient le mieux : jouer des tours aux gens de la place.

Il était plus d'une heure du matin, et l'activité humaine à Okie Pinokie ne montrait aucun signe d'essoufflement. Il était temps de lever le camp et de rentrer chez nous. Nous avions deux heures de route à faire. Rodney, Steve (qui avait toujours l'air un peu secoué) et Jordon ont dit devoir rentrer eux aussi, puis nous ont remerciés de leur avoir permis de nous accompagner. Ils ont sauté dans leur voiture et ont disparu en laissant une épaisse couche de poussière derrière eux.

Pendant que nous remballions notre matériel et nous préparions à partir, Sam et Becca continuaient d'exprimer leur frustration par rapport à cette enquête qu'ils qualifiaient de ratée. Ils avaient l'impression d'avoir laissé tomber l'équipe. Mais je ne partageais pas leur déception. À la fin, Okie Pinokie nous avait fourni rien de moins que ce à quoi nous nous étions attendus : une nuit captivante remplie de toute une bande de personnages intéressants.

LES PREUVES

Preuve vidéo : Amber a pu capter une seule séquence vidéo sur son caméscope, laquelle semble montrer une petite masse non identifiée flottant dans les airs. Cette vidéo fut prise près de la maison du Hobbit.

Preuve photographique : Aucune preuve concluante d'activité paranormale n'a été captée sur caméra fixe durant l'enquête.

PVE NOCTURNES À OKIE PINOKIE EN ORDRE CHRONOLOGIQUE DE CAPTATION

NOTE DE L'AUTEUR

Plusieurs des PVE nocturnes captés durant l'enquête font penser à un charabia ou à une langue inconnue, peut-être même une langue amérindienne. Dans les circonstances, je ferai de mon mieux pour présenter les PVE aussi clairement que possible, mais l'orthographe des mots que nous avons captés sera sans doute incorrecte. De plus, veuillez noter que tous les PVE ont été captés dans les bois ou pendant que l'équipe enquêtait sur la maison du Hobbit.

---

1. Pendant que nous avancions dans le bois, une voix masculine anormale est captée sur bande audio, disant : « Sinistre. »

2. Une voix féminine est captée dans le bois, disant : « Ta ch-chi. »

3. Après que le Ghost Radar® de Ryan ait prononcé le mot « cave », on entend une voix masculine aiguë qui ordonne : « Sors tout de suite ! »

4. Pendant qu'elle tourne sa vidéo près de la maison du Hobbit, Amber déclare : « Il fait quasiment trop noir pour voir quoi que ce soit. » Une voix désincarnée est alors captée, disant : « Secret. »

5. Au moment exact où nous avons vu les apparitions flotter dans la forêt, une voix masculine prononçait le mot (ou le nom) « Nemah. »

6. Lorsque les apparitions se sont dérobées à notre vue, environ sept ou huit voix anormales ont été captées sur bande audio. Toutes ces voix étaient brouillées ou dans un langage que je n'avais jamais entendu jusque-là.

CONCLUSION

Après avoir longuement débattu et discuté, WISP a conclu qu'Okie Pinokie est habité par ce à quoi nous référons comme aux *gardiens de la forêt*. Nous croyons que la majeure partie de l'activité paranormale qui a lieu à Okie Pinokie est causée par les centaines, voire les milliers d'esprits qui l'habitent. Nous croyons également que ces esprits sont des gardiens spectraux, plutôt que les entités auxquelles nous faisons normalement référence comme à des « fantômes ». Aussi avons-nous l'impression que le mot *hanté* est incorrect et ne s'applique pas à l'activité paranormale qui survient à Okie Pinokie.

Mais il y a d'autres gardiens qui patrouillent dans la forêt. Ce sont des humains. Les cavaliers à cheval, que l'on surnomme *les vrais fantômes de la forêt,* avouent ouvertement tirer beaucoup de plaisir à « jouer des tours aux habitants du coin ». Mais WISP aime à croire que si les choses tournaient mal, ces mêmes cavaliers feraient tout en leur pouvoir pour protéger ceux et celles qui s'aventurent dans la forêt.

Sam et Becca avaient d'abord vu l'activité humaine à Okie Pinokie comme une intrusion dans notre enquête. Aujourd'hui, ils voient les choses différemment. Quand tout a été dit et fait, ce ne sont pas les fantômes de notre monde qui gardent vivantes les légendes surnaturelles, mais les gens qui partent à leur recherche. Okie Pinokie est-il réellement hanté ? Est-ce que des milliers d'esprits hantent la forêt, comme le prétend la légende ? Au bout du compte, cela n'a vraiment pas d'importance. Ce qui importe, c'est que les gens croient qu'Okie Pinokie est hanté. Ce qui importe vraiment, c'est que les gens vont continuer à chercher ces esprits, qu'ils existent ou non.

C'est le propre des légendes.

CHAPITRE 7

RETOUR À MUNCHKINLAND

Enquête : retour à Munchkinland

Date du début : 31 octobre 2010

Lieu : Eau Claire, Michigan

NOTE DE L'AUTEUR

Il pourrait s'avérer très dangereux de tenter de faire quoi que ce soit qui ressemble à ce que vous allez lire. WISP ne vous conseille pas de recréer notre processus ou de jouer avec des forces qui pourraient échapper à votre contrôle (ou à celui de quelqu'un d'autre). De plus, tout en m'efforçant de vous faire un compte rendu exact de notre soirée d'Halloween à Munchkinland, je n'irai pas jusqu'à relater le processus exact et les paroles utilisées dans notre rituel. Comme je n'ai pas la moindre idée de vos compétences (si vous en avez) dans les arts de la magie, je ne peux, en toute conscience, vous donner une information suffisamment détaillée pour vous permettre de tenter pareil exploit par vous-même. Après tout, la protection de la Terre et de ses nombreuses formes de vie (vous et moi y compris) est le premier et le principal souci d'un sorcier d'expérience. Veuillez lire le compte rendu ci-après uniquement pour votre divertissement.

LA SAISON DU SORCIER

Il faisait froid le soir de l'Halloween 2010, lorsque les quatre membres de WISP se sont retrouvés chez moi pour distribuer des bonbons aux enfants costumés, faire peur aux plus grands qui venaient cogner à la porte, et bien sûr, tenter d'entrer en communication avec les morts. Cela faisait des mois que nous préparions cette soirée. Quand le quartier serait redevenu calme et que toutes les personnes « normales » seraient rentrées saines et sauves à la maison, WISP retournerait à Munchkinland pour tenter un truc que, d'après nous, aucun autre groupe de sorciers ou d'enquêteurs du paranormal n'avait pu accomplir jusque-là : *forcer une entité non biologique (ENB) à se matérialiser.*

Avec à sa disposition une armada virtuelle de matériel technologique et un rituel païen créé expressément pour cet événement, WISP est retourné à Munchkinland, à Eau Claire, Michigan, dans le but de forcer les fantômes qui y habitent à sortir de leur cachette. En plus de notre équipement habituel de chasse aux fantômes (caméras vidéo à infrarouge, caméras fixes, enregistreurs audio numériques, et le reste), nous venions d'ajouter à notre inventaire des caméras à imagerie thermique et un compteur K2.

Pourtant, cela ne suffisait pas. Pour ce que nous projetions de faire, nous avions besoin de deux autres caméras thermiques et d'un compteur multichamp. Heureusement pour nous, la Michiana Paranormal Society (Michiana est un terme local servant à décrire certaines parties du nord de l'Indiana et du sud-ouest du Michigan) nous avait prêté deux caméras thermiques, et Sam venait de terminer la fabrication d'un compteur multichamp qui fonctionnait selon ses spécifications. Si nous réussissions à forcer la matérialisation d'une ENB, nous avions tout le matériel dont nous avions besoin pour capter et conserver les preuves recueillies.

Outre tous les gadgets technologiques, nous aurions aussi besoin, pour atteindre notre objectif, des divers outils rituels que nous avions préparés à l'avance en prévision de notre retour à Munchkinland, dont le dernier mais non le moindre était constitué de quatre bâtons en bois fabriqués à la main expressément pour cet événement. Notre retour à Munchkinland était la dernière enquête paranormale que WISP avait planifiée cette année-là, et nous étions déterminés à en avoir pour notre argent. Après avoir vérifié trois fois que notre équipement était bien en ordre, nous avons chargé la fourgonnette et sommes partis pour Munchkinland tard dans la soirée.

En arrivant à destination, nous avons découvert une chose fort intéressante : la chapelle décrépite, en bordure des terrains hantés de Munchkinland, avait été totalement rénovée. La chapelle avait un tout nouveau toit ; les planches pourries qui s'en étaient détachées avaient été soit réparées, soit remplacées ; l'extérieur de la structure avait reçu une couche de peinture blanche fraîche. Même les portes avant, usées par le temps, avaient été remplacées par des portes en acier flambant neuves. Mais le vieux cimetière entourant la chapelle était resté tel que dans nos souvenirs.

En garant la fourgonnette près de la clôture de fer et en arrêtant le moteur, j'avais déjà le sentiment d'être observé. On aurait dit que Munchkinland lui-même nous regardait approcher et attendait calmement la suite. Nous sommes restés assis tous les quatre en silence pendant un moment, afin de centrer nos esprits et nos corps avant de sortir du véhicule. Puis, sans dire un mot, nous avons déchargé le matériel et sommes entrés dans Munchkinland.

UNE RECETTE POUR LA SCIENCE ET LA MAGIE

Le premier souci de WISP a été de localiser un coin, dans Munchkinland, qui convenait le mieux à nos plans. Pour y arriver, Sam a fait le tour des sépultures, balayant l'espace au complet avec son nouveau compteur multichamp, tandis que Becca et Amber utilisaient leurs sens psychiques pour chercher des fantômes et/

ou des poches d'activité paranormale. C'était la première fois que Sam utilisait le nouveau compteur dans une situation de vie réelle, et nous étions tous très curieux de voir si oui ou non l'appareil fonctionnerait comme prévu.

Son compteur multichamp comprenait toute une gamme de technologies de chasse aux fantômes, incluant un détecteur de EMF, une jauge de la température ambiante et une panoplie de senseurs électro-optiques sensibles à la densité de l'air et aux vibrations atmosphériques. C'était un ensemble impressionnant de technologies dans un même dispositif, mais cet outil pourrait-il détecter la présence d'activité paranormale ? La réponse à cette question est arrivée plus tôt que nous n'aurions pu l'imaginer.

Pendant que Sam arpentait le centre de Munchkinland, le compteur a commencé à capter des lectures inhabituelles. Deux des jauges numériques de l'appareil, servant à enregistrer les EMF et les changements extrêmes de température, sont montées en flèche et sont restées ainsi pendant plus de 30 secondes. Le compteur enregistrait également les fluctuations dans la densité de l'air, comme il était censé le faire.

Pendant ce temps, j'ai installé un de nos caméscopes sur un trépied. Si une activité paranormale se produisait pendant que nous nous préparions, je voulais la capter sur film. En topographiant l'endroit où Sam enregistrait les plus fortes lectures, nous avons fait une découverte très intéressante. Les lectures venaient du lieu exact où nous avions insufflé de l'énergie dans la terre lors de notre enquête précédente à Munchkinland. L'énergie que nous avions créée presque quatre ans plus tôt était-elle encore active ? Ou bien ce coin de Munchkinland était-il un point chaud naturel pour l'activité paranormale ? Nous avons conclu que c'était sans importance. Cet endroit semblait tout aussi bon qu'un autre pour accomplir notre rituel et tenter de forcer la matérialisation d'une entité non biologique (ENB).

Après avoir choisi l'emplacement, nous devions installer le reste de notre équipement et nous préparer pour le rituel. Il nous fallait créer deux cercles de protection séparés. Après avoir délimité les frontières du premier cercle (ou cercle intérieur), nous placerions nos caméscopes et nos caméras à imagerie thermique dans des endroits stratégiques autour de ce cercle, afin d'enregistrer toute activité paranormale qui surviendrait autour de nous. Le cercle intérieur avait pour but de créer une frontière protectrice entre nous et toute entité (ou entités) que nous réussirions à invoquer.

Becca et Amber ont commencé à tracer le cercle en saupoudrant un anneau de sel. Le sel est couramment utilisé dans la pratique de la magie, afin de créer une frontière protectrice et empêcher les esprits indésirables d'entrer. Mais dans notre rituel, le cercle intérieur visait un double objectif. En plus de barrer l'accès aux entités indésirables, le cercle intérieur était conçu pour contenir toute entité qui se matérialiserait en notre présence. Mais tant que tout notre matériel n'était pas en place, le cercle de sel n'était qu'une représentation visuelle de notre magie. Nous allions charger le cercle et créer le second cercle de protection durant le rituel. Après une heure et demie de travail, tout notre équipement électronique était enfin prêt. Nous avons endossé nos tuniques, rassemblé nos bâtons, puis, vêtus de nos plus beaux atours, nous nous sommes préparés à invoquer les fantômes de Munchkinland.

LES CERCLES DE PROTECTION

En silence, les quatre membres de WISP se sont approchés de la ligne de démarcation du cercle intérieur. Nous avons pris nos places près des caméras thermiques et des caméscopes, lesquels avaient déjà été placés dans l'axe des quatre points cardinaux : est, sud, ouest et nord. Becca tenait à la main un bâton fabriqué dans une baguette de saule. Le saule, qui est consacré à la vieille femme, est censé favoriser les énergies psychiques. Amber tenait à la main un bâton d'aulne dont se servent les praticiens de la magie en guise de protection. L'aulne est connu comme l'arbre de feu et le bois des sorciers. Sam tenait à la main un bâton en bois de frêne. Le frêne est le bois de l'équilibre et on croit qu'il contient les éléments magiques de la terre et de l'eau. Je tenais un bâton fait de bois d'if, que l'on associe à la mort, à la renaissance et à la magie. Mon bâton était également paré d'incrustations d'ébène, lequel s'est révélé être un excellent amplificateur de mes pouvoirs psychiques et magiques.

Debout parmi les pierres tombales, nous avons salué en silence la présence des autres et le pouvoir de la magie que nous allions bientôt accomplir. Becca et Amber, qui étaient vêtues de belles tuniques rituelles qu'elles avaient fabriquées tout spécialement pour cette soirée, faisaient le tour du cercle de sel, pendant que Sam et moi nous concentrions pour nous focaliser sur la bulle d'énergie qu'elles créaient. Une fois établies les frontières magiques du cercle intérieur, les filles ont entrepris de créer un cercle extérieur en faisant trois fois le tour extérieur du cercle intérieur dans le sens inverse des aiguilles d'une montre.

Il était temps de tracer nos propres cercles de protection personnelle. Pour ce faire, les quatre membres de WISP ont formé autour d'eux une spirale d'énergie connue comme la « boucle du dragon ». Pour comprendre ce qu'est une *boucle du dragon* et son fonctionnement, essayez d'imaginer ce que cela peut être d'être pris au milieu d'une tornade. Essentiellement, une boucle du dragon est un courant d'énergie qui tourne sans arrêt et enveloppe la personne dans un cocon invisible de protection magique. Notre protection mise en place et notre équipement fonctionnant normalement, le temps était venu d'essayer d'invoquer les esprits.

INVOQUER LES OMBRES

On croit que, le soir de l'Halloween, les voiles s'amincissent entre le monde des morts et celui des vivants. Quand nous avons entamé notre rituel et prononcé nos incantations à haute voix, je pouvais sentir ce que je pourrais comparer à un million de paires d'yeux braqués sur nous. Ne serait-ce que cela, nous attirions pas mal d'attention de la part d'entités d'un autre monde. Mais WISP possédait-il le savoir-faire nécessaire pour forcer une de ces entités à se matérialiser en notre présence ? La réponse à cette question ne s'est pas fait attendre.

L'énergie magique que nous avions créée flottant tout autour de nous, les quatre membres de WISP ont commencé à chanter très fort deux mots : *montrez-vous*. Nous avons commencé doucement et lentement, puis nous avons amplifié le pouvoir de nos voix jusqu'à ce que Munchkinland croule sous notre énergie et notre magie. Nous y avons mis toute la force de notre volonté, psalmodiant ces mots encore et encore. *Montrez-vous. Montrez-vous.*

En l'espace de quelques minutes, les lumières du compteur K2, posé par terre aux pieds de Sam, se sont toutes allumées et le sont demeurées. Sur l'écran de la caméra à imagerie thermique à mes côtés, j'ai commencé à voir tournoyer des pointes de lumière et de couleur que le lecteur de la caméra enregistrait comme de minuscules poches d'air froid. Les images étaient d'une beauté indescriptible. C'était comme regarder la création d'une galaxie à travers un kaléidoscope. *Montrez-vous,* avons-nous scandé, en augmentant le pouvoir de nos voix encore davantage. *Montrez-vous !*

Ce qui s'est produit ensuite est difficile à décrire, mais je ferai de mon mieux. L'air autour de nous, qui quelques minutes plus tôt était frais et léger, s'était alourdi de la sensation d'une présence invisible. L'air semblait lourd de gravité. À voir l'expression sur les visages de mes coéquipiers, il était évident qu'ils avaient du mal à bouger et à respirer. J'avais moi aussi du mal à bouger et à respirer. Une sensation très similaire au mal d'altitude. Même si nous ne voyions rien au centre de notre cercle, les images sur la caméra thermique indiquaient que les poches de froid et de lumière s'étaient mélangées pour former une seule masse. Soudain, nous avons tous senti une fluctuation dans le motif énergétique à l'intérieur du cercle, un motif qui ne ressemblait à rien de ce que nous avions senti jusque-là. À présent, les lumières sur le compteur K2 augmentaient et faiblissaient en intensité à un rythme étonnant.

Au centre du cercle intérieur, nous voyions ce que l'on peut seulement décrire comme des pistes en mouvement. Il y avait quelque chose, mais cette chose bougeait (ou vibrait peut-être) trop vite pour que nous puissions y fixer notre regard. L'air tout autour de nous est devenu glacial. Les piles de deux des caméras à imagerie thermique et de tous les caméscopes, sauf un, sont tombées à plat simultanément, et leurs écrans se sont éteints.

Pendant une fraction de seconde, une chose est apparue à l'intérieur du cercle intérieur. Cela a pris forme. Puis, une autre fraction de seconde et elle n'était plus là. De nouveau, l'air nous a paru instantanément léger et chaud, en comparaison avec le froid intense qui nous avait enveloppés. Sam s'est précipité sur le seul caméscope qui fonctionnait encore et a pressé un des boutons, pour revenir en arrière. Il nous a fait signe d'aller le rejoindre. Nous nous sommes réunis autour de la caméra. La chose s'était-elle réellement matérialisée à l'intérieur du cercle ? Et si oui, l'avions-nous captée sur film ?

Dans le viseur de la caméra, nous avons vu une ombre vaporeuse apparaître à l'intérieur du cercle intérieur et prendre forme avant de diminuer rapidement et de disparaître complètement. La forme de l'ombre nous était familière. C'était la silhouette d'un homme.

CHAPITRE 8

AVENUE ARCHER : LA LÉGENDE DE RESURRECTION MARY

Enquête : Resurrection Mary de l'avenue Archer

Date du début : 16 juillet 2005

Lieu : Chicago, Illinois

Note de l'auteur : L'enquête sur Resurrection Mary est la toute première enquête que WISP ait jamais effectuée en tant qu'équipe. À ce titre, vous remarquerez des différences par rapport aux autres enquêtes relatées dans ce livre.

LA LÉGENDE[9]

Vous connaissez sans doute déjà la légende de Resurrection Mary, le fantôme le plus célèbre de Chicago. L'histoire de Mary est connue dans le monde entier ; elle a inspiré chansons, poèmes et prose, sans mentionner l'intérêt qu'elle a suscité chez les chasseurs de fantômes, les médiums et les enquêteurs du paranormal pendant des décennies.

Comme bon nombre d'autres légendes urbaines sur les fantômes, l'histoire de Mary est celle d'une « auto-stoppeuse qui disparaît sans laisser de traces ». Les contes étranges d'auto-stoppeurs qui disparaissent abondent partout aux États-Unis et dans la plus grande partie du monde civilisé. Les versions modernes de ces histoires, telles que nous les connaissons aujourd'hui, datent du début du 20e siècle, mais leurs origines véritables remontent

---

9. Sources de la recherche : Dale Kaczmarek, « Resurrection Cemetery », Ghost Research Society, www.ghostresearch.org/sites/resurrection/ (©2011) ; et « Resurrection Mary », sur le site web Haunted America Tours, www.hauntedamericatours.com/ghosts/ResurrectionMary/ (©2004-11).

probablement aux siècles précédents. De l'avis du folkloriste Jan Harold Brunvand[10], les légendes modernes des auto-stoppeurs qui disparaissent sans laisser de traces ont vu le jour à la suite des premières histoires européennes sur les cavaliers à cheval.

La version moderne la plus courante de cette histoire concerne un automobiliste, habituellement un homme, qui s'arrête pour faire monter une jeune femme. À un certain moment, il s'aperçoit que sa passagère s'est inexplicablement évaporée alors que la voiture était en mouvement.

Il y a des variations sur ce thème :

1. Avant de disparaître, la femme donne l'adresse de sa destination au conducteur. Aussitôt que la femme a disparu, celui-ci se rend à l'adresse qu'elle lui a indiquée dans l'espoir de trouver des réponses aux questions qu'il se pose, mais des parents de la femme l'informent qu'elle est morte depuis longtemps. La cause évoquée pour sa mort est très souvent un accident de la route.

2. La femme sort du véhicule comme le ferait n'importe quel passager normal, emportant habituellement un morceau de vêtement emprunté au conducteur pour se protéger des intempéries. Puis elle disparaît sous le regard de l'automobiliste. Le vêtement emprunté sera ensuite retrouvé autour d'une pierre tombale dans un cimetière du quartier.

3. Avant de disparaître, l'auto-stoppeuse prononce une phrase prophétique qui a normalement trait à une catastrophe naturelle imminente ou à un grand mal religieux.

Ce qui nous fascine dans les histoires d'auto-stoppeuses, qui disparaissent sans laisser de traces, réside dans la nature de la rencontre. L'interaction avec le fantôme se produit non parce que le conducteur cherchait le surnaturel, mais parce que le surnaturel

---

10. Brunvand, *The Vanishing Hitchhiker : American Urban Legends and Their Meanings* (Norton, 1981).

cherchait le conducteur. Ce qui épaissit le mystère, c'est que dans ces histoires d'auto-stoppeuses volatilisées, les fantômes passent pour des personnes vivantes, ce qui fait entrevoir la possibilité que les rencontres avec les fantômes et autres entités surnaturelles puissent se produire sur une base régulière sans même qu'on s'en aperçoive.

Même si les légendes des auto-stoppeuses disparues sans laisser de traces n'ont rien de singulier, la légende de Resurrection Mary se distingue d'une manière particulière, c'est-à-dire par le nombre de comptes rendus de témoins oculaires crédibles. Les visions de Resurrection Mary ont commencé autour de 1928 (quoique certains rapports parlent plutôt du début des années 1930) et, bien que leur intensité et leur fréquence aient considérablement diminué au fil des ans, elles se poursuivent encore aujourd'hui. Les visions de Mary ont subi une baisse draconienne dans les années 1980, une diminution que certains attribuent à la réfection de l'avenue Archer (le bout de rue soi-disant hanté par Mary), qui inclut l'installation de lampadaires. La majorité des visions de Mary ont eu lieu durant les mois de décembre, janvier et février, ce qui coïncide avec la partie de la légende qui dit que Mary a perdu la vie en hiver. Vous trouverez ci-après le compte rendu le plus souvent cité de la dernière soirée de Mary sur Terre[11].

Mary était une très belle jeune Américaine d'origine polonaise avec ses boucles blondes et ses yeux bleus magnifiques. Par une froide soirée d'hiver de la fin des années 1920, Mary et son petit ami sont sortis pour aller danser au Oh Henry Ballroom (devenu depuis le Willowbrook Ballroom), situé sur l'avenue Archer à Willow Springs, en banlieue de Chicago, en Illinois. On a raconté que Mary portait sa robe de soirée blanche favorite ainsi que des chaussures blanches.

À un certain moment de la soirée, Mary et son copain ont eu une terrible dispute. Jurant qu'elle préférait rentrer chez elle à pied

---

11. Sources : site web de *American Hauntings* (www.prairieghosts.com) et le site de la Ghost Research Society (www.ghostresearch.org).

dans le froid intense plutôt que de rester avec lui un instant de plus, Mary a quitté le Oh Henry Ballroom si précipitamment qu'elle en a oublié de prendre son manteau. Bouleversée et désespérée, elle a descendu l'avenue Archer tout en cherchant à héler un automobiliste qui passait par là. Mais la voiture l'a heurtée. L'automobiliste a accéléré au bout de la rue et est disparu sans se retourner, abandonnant le corps mort ou agonisant de Mary sur le côté de la route. Elle fut enterrée dans le cimetière de Resurrection, vêtue de sa robe blanche et des souliers qu'elle portait pour aller au bal le soir de sa mort tragique.

Qui était la vraie Resurrection Mary[12] ? Selon certaines hypothèses, la Mary de la légende était une certaine Mary Bregovy, tuée dans un accident de voiture en 1934 et enterrée au cimetière Resurrection. La théorie voulant que Mary Bregovy ait été la contrepartie vivante du fantôme connu sous le nom de Resurrection Mary est toutefois partie en fumée ces dernières années, en raison de grossières dissemblances dans l'apparence physique des deux femmes et dans leurs histoires.

Même si l'accident qui a tué Mary Bregovy s'est produit à la même période où le fantôme de Resurrection Mary a commencé à apparaître (puis à disparaître), il est peu probable qu'elle ait voulu rentrer chez elle en quittant le Oh Henry Ballroom au moment de son décès. L'accident qui a tué Mary Bregovy s'est produit sur Wacker Drive, au centre-ville de Chicago, lorsque la voiture dans laquelle elle était montée est entrée en collision avec la plateforme surélevée d'un train. Bregovy est passée à travers le pare-brise et est morte sur le coup. Ce qui est fort différent que d'être tuée par un chauffeur qui prend la fuite, sur l'avenue Archer à Willow Springs, à plus de 25 km du centre-ville de Chicago. Des photographies de Mary Bregovy la montrent avec des cheveux courts et des yeux foncés, et ses parents affirment qu'elle a été inhumée dans une robe

---

12. Source : site web de *American Hauntings* (www.prairieghosts.com).

de couleur orchidée. Encore là, on est loin de la Mary de la légende, blonde aux yeux bleus, dans sa robe blanche.

Qui était Resurrection Mary, nous ne le saurons peut-être jamais. Je suis convaincu que le débat se poursuivra aussi longtemps que la légende elle-même. L'équipe WISP, comme les autres chercheurs du paranormal, était fascinée par son histoire. C'est donc ainsi que commence notre étrange aventure…

Les membres de l'équipe WISP s'étaient donné rendez-vous à la librairie métaphysique de l'avenue Ashland, à Chicago. Après une discussion inévitable concernant l'équipement électronique, j'avais accepté, à contrecœur, de permettre l'usage de caméras et d'enregistreurs audio pour documenter nos enquêtes et enregistrer les comptes rendus des témoins oculaires. J'ai toutefois rappelé à l'équipe que je voulais réduire au minimum l'usage des gadgets électroniques car, pour des sorciers enquêtant sur le paranormal, l'intérêt était justement d'utiliser nos connaissances et nos outils métaphysiques pour effectuer des recherches et entrer en communication – et non de compter sur les appareils électroniques pour faire le travail à notre place.

À la fin de ma séance de signatures et de lecture à la librairie, nous sommes tous remontés dans ma fourgonnette et, carte en main, nous nous sommes faufilés dans la circulation dense de Chicago, jusqu'à un raccourci menant à la ville de Justice (qui borde Willow Springs), où nous avons emprunté l'avenue Archer pour enfin arriver devant les grilles du cimetière Resurrection. Nous étions sur le point de recevoir beaucoup plus que ce à quoi nous nous attendions.

LE CIMETIÈRE RESURRECTION

À l'approche du cimetière Resurrection, ce que j'ai vu m'a tout de suite mis hors de moi : les grilles du vieux cimetière avaient été enlevées et remplacées par de nouvelles. Pour vous aider à comprendre pourquoi cela me contrariait, je dois absolument vous parler des comptes rendus effrayants du 10 août 1976.

C'est à cette date, à 22 h 30 environ, qu'un automobiliste qui passait devant les grilles du cimetière fut témoin d'une scène des plus incongrues. Debout à l'intérieur du cimetière, il a vu une jeune femme en robe de soirée blanche agrippée aux barreaux de fer de la barrière. Croyant qu'elle avait été enfermée dans le cimetière par accident, il s'est arrêté au Service de police de Justice et a raconté ce qu'il venait de voir au policier qui assurait le service de nuit. Une voiture de patrouille fut rapidement dépêchée sur les lieux afin de vérifier ce qu'il en était.

Au moment de l'inspection, le cimetière était sombre et vacant, sans le moindre signe de la présence d'une jeune femme. Néanmoins, le patrouilleur a constaté une chose qui lui a glacé les os. Il a remarqué que deux des barreaux de la grille du cimetière avaient été séparés. Ils avaient été pliés en angle. Mais, ce qui l'a vraiment troublé, c'est que les barreaux étaient roussis et noircis à la suie. Sur ces marques roussies, il a vu ce qui ressemblait à des empreintes de mains imprimées dans le métal sous le coup d'une chaleur incroyable. Il semblait bien que Mary ait laissé derrière elle des preuves physiques de son existence !

Mais les grilles avaient été remplacées. À présent, cette preuve physique n'existait plus. J'avais espéré toucher de mes mains les barreaux roussis et gauchis, afin de voir si je pourrais en tirer une impression paranormale. Cela n'était plus possible désormais. Malgré les protestations de mes coéquipiers, j'ai arrêté la fourgonnette dans une zone interdite, je suis sorti et me suis approché des grilles. Fermant les yeux, j'ai pris une profonde respiration et, contre tout espoir, j'ai empoigné deux des barreaux d'un brun verdâtre des grilles du cimetière. Rien. Si une chose que l'on pouvait voir ou sentir s'était imprimée dans les barreaux, elle avait disparu en même temps que les anciennes grilles. Désappointé mais toujours aussi déterminé, je suis remonté dans la fourgonnette et nous sommes entrés dans le cimetière en franchissant les nouvelles barrières.

Le cimetière Resurrection est plat et tout simplement immense ; on le dirait sans fin. Au hasard, j'ai choisi une des nombreuses artères asphaltées du cimetière et j'ai tourné le coin. Au premier tournant, nous avons eu une vision des plus curieuses : deux biches étaient étendues à l'ombre de deux grosses pierres commémoratives en bordure du chemin. Je me suis arrêté et j'ai saisi mon appareil photo, dans l'espoir de prendre quelques clichés avant que les biches ne soient dérangées par notre intrusion et ne prennent la fuite. La première biche a été intimidée par l'appareil. Elle s'est tout de suite relevée et s'est enfuie en courant. Mais la seconde biche semblait plus qu'heureuse de se prélasser dans l'ombre du monument et de se faire prendre en photo. Dès que l'écran de mon appareil photo numérique m'a rendu une image satisfaisante, j'ai redémarré la voiture et nous avons continué notre tournée du cimetière Resurrection.

Tandis que nous nous enfoncions dans le cimetière, les différences entre les anciennes et les nouvelles sections des terrains funéraires de Resurrection devenaient évidentes. À notre droite se dressaient les pierres tombales et les monuments les plus anciens et les plus sinistres du vieux cimetière. À notre gauche, des monuments modernes en marbre noir, ornés de saints et d'anges parés d'or et de bronze. J'ai repéré un coin où je pouvais me garer en toute sécurité, et toute l'équipe est sortie de la voiture. Nous nous sommes vite dispersés dans une des sections les plus anciennes et avons essayé de capter des impressions d'une présence paranormale.

Après une vingtaine de minutes de recherche, nous nous sommes tous retrouvés près de la voiture sans avoir grand-chose à rapporter. C'est Amber qui a le mieux résumé la situation lorsqu'elle a dit : « Cela donne seulement l'impression d'un vieux cimetière. » Ayant compris que nous ne pourrions pas capter grand-chose dans le cimetière Resurrection en plein jour, nous sommes remontés dans la voiture et nous avons pris la direction de l'avenue Archer et du Chet's Melody Lounge.

LE CHET'S MELODY LOUNGE

Le Chet's Melody Lounge, qui est situé de l'autre côté de la rue et en diagonale avec le cimetière Resurrection, a été associé à plusieurs apparitions spectrales, incluant des visites de Resurrection Mary. De nombreux automobilistes qui ne s'y attendaient pas auraient affirmé avoir fait monter Mary, pour s'apercevoir qu'elle avait disparu dès qu'ils avaient dépassé les grilles du cimetière ou le Chet's Melody Lounge. Certains automobilistes l'ont même vue entrer dans le Lounge après qu'elle a disparu de leur véhicule de façon inexplicable. Ceux qui l'ont poursuivie jusque dans le bar se sont toujours fait dire qu'aucune personne correspondant à la description de Mary n'y était entrée.

En entrant dans le Chet's Melody Lounge, l'équipe WISP a été accueillie par une barmaid appelée Leslie. Après nous avoir servi nos bières, elle a disparu dans une petite cuisine aménagée derrière le bar, pour nous préparer des bâtonnets frits aux champignons et fromage mozzarella. À part Leslie et l'équipe WISP, le bar était complètement vide. Assis à une petite table vers le fond du bar, nous avons siroté nos bières et attendu notre goûter. La journée était vraiment chaude à Chicago ce jour-là, et l'unique climatiseur de fenêtre avait du mal à rafraîchir la place.

Leslie est vite revenue avec nos assiettes, et j'en ai profité pour lui poser une question : « Que savez-vous de Resurrection Mary ? » Elle m'a gratifié d'un large sourire et m'a répondu qu'elle serait très heureuse de nous dire ce qu'elle savait. Quand je lui ai dit que nous étions une équipe d'enquêteurs métaphysiques à la recherche de la légende de Resurrection Mary, Leslie a voulu connaître le sens du mot *métaphysique*. Après avoir répondu à sa question de manière satisfaisante, elle a commencé à parler.

Nous n'avons pas été surpris lorsque Leslie nous a déclaré qu'on lui posait des questions sur Resurrection Mary toutes les semaines au Chet's Melody Lounge. « En fait, a-t-elle dit, un homme est venu ici il n'y a pas si longtemps. Il était venu prendre un goûter avec le chef de l'entretien du cimetière Resurrection et posait des questions sur Mary en lien avec un article qu'il était en train d'écrire pour un journal. »

Leslie a ensuite dit aux deux femmes de notre équipe que « Mary ne se montre pas aux femmes ou à ceux qui cherchent à la rencontrer ». Bien que je n'aie jamais entendu dire que Mary avait rencontré un chasseur de fantômes ou un enquêteur du paranormal (contrairement à l'automobiliste moyen), quand Leslie disait que Mary n'apparaissait pas aux femmes, cela venait contredire bien des comptes rendus. Bien qu'il soit vrai que les hommes ont rapporté la majorité des rencontres avec Mary, on ne peut pas affirmer qu'il n'y a pas eu de récits de rencontres par des femmes. Après nous avoir donné d'autres informations de base concernant Mary (que nous connaissions déjà pour la plupart), Leslie déclara que le Chet's Melody Lounge était hanté par autre chose que le fantôme de Resurrection Mary.

Plus d'une fois, a dit Leslie, des boules de la table de billard (qui avait été enlevée depuis longtemps) s'étaient brisées d'elles-mêmes, comme frappées par un coup invisible donné par un joueur de billard spectral. Elle a ajouté qu'il arrivait que le poste de télé mural s'allume et s'éteigne tout seul. En examinant le téléviseur de plus près, j'ai pu constater qu'il avait été fabriqué par General Electric. J'ai dit à Leslie que j'avais déjà eu une télé GE qui se comportait de la même façon, et que cela était dû à un filage défectueux et non à un aficionado fantôme friand de comédies. Sans se laisser démonter par mon commentaire, Leslie nous a ensuite raconté qu'une de ses amies refusait de remettre les pieds au sous-sol du Lounge, parce qu'elle y avait vu des fantômes à plusieurs reprises. Ces rencontres se produisaient lorsque l'amie en question, voulant aider Leslie qui était débordée, descendait au sous-sol pour chercher des fournitures de bar. Amber lui a demandé si nous pouvions vérifier le sous-sol nous-mêmes, mais Leslie a refusé en prétextant une question d'assurances.

Après d'autres questions et des réponses qui n'avaient pas grand-chose à voir avec notre enquête, nous avons demandé à Leslie s'il y avait un restaurant, pas trop loin, où nous pourrions prendre un repas complet. Elle nous a indiqué un endroit appelé Rico D's, situé juste en face du Willowbrook Ballroom (un des plus célèbres lieux hantés par Mary) et où l'on fait une excellente pizza. Sans surprise, elle nous informa que le Rico D's était lui aussi hanté. Nous l'avons remerciée pour son temps, la bière et le goûter, et nous nous sommes dirigés vers la sortie.

Avant d'arriver à la porte, je me suis rappelé une autre question que je voulais poser à Leslie. J'avais entendu dire que des gens achetaient des consommations pour Resurrection Mary et les laissaient au bout du bar pour elle. Quand je suis retourné près du bar pour poser la question à Leslie, elle a répliqué qu'à chaque Halloween, le propriétaire du bar préparait un Bloody Mary et le déposait au bout du bar pour Resurrection Mary. Leslie a également dit que, oui, il arrivait que quelqu'un paye un verre pour Mary et le laisse au bout du bar. Je n'ai pas pu résister. J'ai sorti 3,75 $ pour un Bloody Mary que j'ai déposé au bout du bar pour notre quête, même si j'étais à peu près certain qu'il serait renversé dans l'évier par Leslie elle-même ou englouti par le poivrot du coin avant que Mary ne puisse mettre ses doigts ectoplasmiques dessus.

En sortant du Chet's Melody sous un soleil presque aveuglant, j'ai pris une photo du Lounge à l'aide de mon appareil photo numérique, puis j'ai dit à l'équipe que nous devrions aller au Willowbrook Ballroom et peut-être même au Rico D's. Je pensais qu'il valait mieux attendre qu'il fasse nuit avant de poursuivre notre enquête. Mais, avant que nous puissions prendre une décision, Sam avait aperçu un gardien dans le cimetière Resurrection, de l'autre côté de la rue. Il voulait aller le voir et lui poser quelques questions. Le reste de l'équipe ayant tout de suite acquiescé à sa demande, nous sommes remontés dans la fourgonnette et avons entamé notre folle poursuite. La course dans le cimetière avait commencé !

DE RETOUR AU CIMETIÈRE RESURRECTION

De nouveau, nous avons franchi les grilles du cimetière Resurrection, mais cette fois, nous chassions les vivants au lieu des morts. La dernière fois que nous l'avions aperçue, la camionnette Ford vert foncé du gardien était garée sur l'accotement, près de la clôture est de Resurrection, au fond d'une des plus vieilles sections du cimetière.

Les chemins sont étroits dans cette partie du cimetière, et la circulation y est difficile ; j'ai donc roulé aussi vite que j'ai pu vers l'endroit où nous avions surpris la camionnette. Naturellement, le gardien et son véhicule avaient disparu. Sans me laisser démonter, j'ai réussi à faire demi-tour dans un petit cul-de-sac face à un mausolée, et nous sommes revenus sur nos pas. Après quelques minutes de recherche, nous avons vu s'éloigner la camionnette du gardien à l'extrémité ouest du cimetière. J'ai accéléré. Ce qui s'est passé ensuite aurait sans doute ressemblé à une mauvaise scène de chasse dans un épisode en direct des mystères *Scooby-Doo* aux yeux d'un témoin involontaire de la scène. Ne manquaient que les fleurs psychédéliques peintes sur le côté de la fourgonnette et un grand danois parlant.

Le cimetière Resurrection s'enorgueillit de ses rues qui serpentent et s'enchevêtrent, et j'avais beaucoup de mal à traquer notre proie. On aurait dit qu'à chaque fois que je prenais à gauche, il prenait à droite. Chaque fois que nous pensions qu'il était devant nous, il apparaissait derrière nous. Après presque 15 minutes de cette curieuse scène de chasse, nous avons fini par rattraper le gardien devant l'immeuble de l'administration, près de la barrière principale du cimetière. En sortant de la voiture et en nous approchant, armés de nos caméras et de nos enregistreurs numériques, nous pouvions voir l'appréhension sur le visage du gardien. La vingtaine avancée, il était vêtu de l'uniforme habituel. Il arborait également un des plus gros crucifix dorés que j'aie vu de toute ma vie. Resurrection est un cimetière catholique, et ne voulant ni offenser le gardien, ni lui faire peur, j'ai caché mon pendentif en forme de pentagramme sous ma chemise.

Lorsque nous nous sommes présentés comme une équipe de chasseurs de fantômes voulant vérifier la légende de Resurrection Mary, un sourire narquois s'est inscrit sur son visage. Il a dit que, même s'il ne savait pas grand-chose, il serait heureux de nous communiquer le peu de renseignements qu'il détenait. Vous trouverez ci-après les questions de WISP et les réponses du gardien, telles qu'elles ont été formulées.

Q. Que pouvez-vous nous dire concernant Resurrection Mary ?

R. Pour être honnête avec vous, tout le monde me pose la même question et, croyez-moi, ils ont déménagé sa tombe à gauche et à droite, et puis ils ont fait des tas d'autres choses folles autour d'ici.

Q. Vous voulez dire qu'ils ont physiquement déménagé sa tombe ?

R. Physiquement, en fait, je n'en ai pas la moindre idée, parce que [rire nerveux] je ne veux pas la transporter partout, ou, enfin, vous voyez ce que je veux dire ? Croyez-moi, il y a eu beaucoup d'histoires de fantômes autour d'ici. En particulier à l'Halloween, vous savez, c'était complètement fou par ici. [Ce commentaire nous a paru plutôt étrange, vu que nous étions au milieu de juillet, mais nous avons préféré laisser parler le gardien sans l'interrompre]. Mais, euh, certains des gars m'ont dit qu'elle est dans la section double M, passé le 79e, par là, sur le chemin. C'est donc là qu'elle est enterrée.

Par contre, j'sais pas si c'est vraiment vrai, j'en ai aucune idée, vous savez, parce que les gars de par ici, les saisonniers, ils aiment bien vous foutre la trouille et, croyez-moi, y a quelque chose avec les barres de la grille d'entrée ; on dit qu'elle aurait fait plier les grilles, qu'elle a fait ça, alors voilà, c'est ça qui s'est passé ici. Ma parole, avant de venir ici, je lisais ces histoires sur l'ordinateur et des trucs sur tout ça, et croyez-moi, je m'en fous pas mal. Les fantômes ici ne m'ont jamais rien fait, alors...

Q. Vous n'avez donc jamais rien vu d'étrange ou d'inhabituel se produire autour d'ici ?

R. Je n'ai pas vu de fantômes tourner autour de leurs tombes ou aucune connerie de ce genre.

Q. Y a-t-il un autre travailleur du cimetière qui aurait vu quelque chose ?

R. Il y a des gars qui sont là depuis plus longtemps que moi, ils pourront sans doute vous en dire plus à ce sujet.

Après nous avoir donné les noms de quelques gardiens plus anciens et plus expérimentés qui accepteraient peut-être de nous parler de Mary (tous ayant déjà terminé leur journée), le jeune gardien s'est excusé en disant qu'il était presque temps de fermer et qu'il devait aller « foutre à la porte » les visiteurs et les endeuillés qui avaient le culot d'ignorer les heures d'ouverture du cimetière. Comprenant que nous avions abusé de sa courtoisie, j'ai suggéré à l'équipe d'aller faire un petit tour au Willowbrook Ballroom (connu sous le nom de Oh Henry Ballroom à l'époque de Mary) et de nous arrêter au Rico D's pour prendre une bouchée et nous désaltérer.

La journée étant toujours aussi chaude et humide, l'équipe a accepté sans rouspéter. Nous sommes sortis du cimetière une deuxième fois et avons pris l'avenue Archer jusqu'au Willowbrook Ballroom. Enfin, *presque*. Au moment où j'allais entrer dans l'allée du Willowbrook, une longue limousine blanche est sortie du stationnement devant nous, m'obligeant à garer la fourgonnette sur l'accotement. Après quelques échanges hargneux et quelques gestes grossiers à l'endroit du chauffeur de la limousine, j'ai fini par m'approcher de Willowbrook. À la vue de la limousine, d'un parking rempli de voitures, de smokings et du taffetas bleu clair des robes des filles d'honneur, nous avons vite déduit qu'il y avait une noce à Willowbrook ce soir-là, et qu'il serait sans doute hors de question pour nous d'entrer pour enquêter sans invitation.

Mais juste en face, de l'autre côté de la rue, trônait le bâtiment de brique vieillot et accueillant qui abritait le restaurant italien Rico D's. (Depuis 2011, le Rico D's est définitivement fermé et a été remplacé par un autre restaurant.) Comme le Rico D's semblait beaucoup moins occupé que le Willowbrook, je suis entré dans le stationnement du Rico D's et je me suis garé dans un coin ombragé à l'arrière de l'immeuble. Mourant de chaleur et affamée, l'équipe est sortie de la voiture pour se réfugier dans le confort relatif du Rico D's. L'immeuble qui abritait le Rico D's avait déjà appartenu au tristement célèbre gangster Al Capone. C'est donc dire qu'il a une légende et des fantômes bien à lui.

LE RICO D'S : DÎNER ET SPECTACLE ?

Au Chet's Melody Lounge, Leslie nous avait dit que les propriétaires du Rico D's étaient en train de rénover le restaurant dans le but de recréer le décor et l'ambiance qu'il avait dans les années 1920. Il y avait des signes évidents que des rénovations étaient en cours. Il était aussi évident qu'ils avaient encore beaucoup de travail sur la planche. Le bar lui-même avait l'air ancien et authentique, et le plafond d'étain, façon tournant du siècle, paraissait naturel et plein de charme. Cependant, la salle du bar était remplie à craquer des habitués du cinq à sept. Nous nous sommes vite dirigés vers le comptoir de l'hôtesse, tout au fond du bar, et vers la promesse des victuailles et des rafraîchissements qui nous attendaient de l'autre côté.

Après avoir donné le mot de passe à l'hôtesse – «on a faim et on aimerait prendre une bouchée» –, elle nous a précédés dans un petit corridor menant à la salle à manger, qui était terne et minuscule. Après y avoir jeté un bref coup d'œil, l'hôtesse nous a informés qu'il n'y avait actuellement aucune table de disponible dans la salle à manger principale. Nous pouvions nous installer au bar en attendant qu'une table se libère, ou nous attabler immédiatement sur la terrasse extérieure. Il faisait encore très chaud, mais nous avons accepté de nous asseoir dehors. J'ai rassuré les autres en leur disant qu'il ferait bientôt noir et que le temps finirait bien par se rafraîchir un peu. Erreur! Le jour est tombé, mais la chaleur suffocante est restée, et les derniers relents de la brise de la fin d'après-midi n'ont rien fait pour nous rafraîchir.

Si nous ne pouvions pas entrer dans le Willowbrook Ballroom, ai-je suggéré, peut-être pourrions-nous suivre les pas de Mary depuis l'entrée principale de la salle de réception jusqu'aux grilles du cimetière Resurrection. L'équipe était d'accord, mais l'un de nous sentait aussi qu'il fallait offrir à Mary une chose qui l'inciterait à revivre sa dernière soirée sur terre en notre compagnie. C'était une bonne idée, mais comment? Juste comme nous commencions à discuter de la manière de faire, la pizza que nous attendions depuis longtemps est arrivée. À la fin du repas, Amber s'est excusée parce qu'elle devait aller aux toilettes, et j'en ai profité pour faire une marche autour de la terrasse. Après plusieurs minutes de marche désordonnée, je me suis approché de la clôture de bois qui borde la propriété devant le Rico D's. Lorsque j'ai jeté un œil par-dessus la clôture, ce que j'ai vu m'a amusé.

Tout le quartier entourant le Willowbrook et l'avenue Archer brillait d'une aura qui ne ressemblait à rien de tout ce que j'avais vu auparavant. Cette aura, un champ énergétique entourant toutes choses vivantes et surnaturelles, pouvait être ressentie par les gens sensibles durant la journée mais, à la tombée de la nuit, elle se révélait dans toute sa splendeur spectrale. Je suis resté planté là, émerveillé près de la clôture, pendant ce qui m'a semblé une éternité.

Mais au bout d'un moment, j'ai senti quelque chose de réel tirer sur ma manche de chemise. Ça semblait urgent. Amber me tirait par le bras en faisant un drôle d'air. Elle m'a ramené à notre table et m'a dit de m'asseoir, puis elle a raconté à l'équipe qu'elle avait eu une très étrange impression pendant qu'elle était dans les toilettes : l'impression de ne pas être seule dans cette pièce, le sentiment d'être observée par une présence invisible. Comme elle paraissait très excitée, j'ai décidé d'aller dans les toilettes des hommes pour voir si je ressentirais quelque chose de semblable. Gardant l'œil ouvert et faisant de mon mieux pour ne pas être influencé par ce qui venait d'arriver à Amber, je suis entré dans la salle des hommes et j'ai verrouillé la porte. Presque instantanément, j'ai eu l'impression très vive de ne pas être seul dans la pièce. Il y avait quelque chose ici avec moi. Une chose qui n'était pas de notre monde.

De la voix la plus juste et monocorde que j'aie pu maîtriser, j'ai demandé à la présence invisible pourquoi elle était ici et si elle avait envie de me dire quelque chose. Pas de réponse. Même si la présence n'est jamais sortie de la pièce, elle n'a donné aucun signe de vouloir communiquer avec moi.

J'ai fini par renoncer à mon enquête sur les toilettes hantées et je suis retourné auprès de mes coéquipiers. Le temps de revenir à la table, la note avait été réglée et l'équipe était prête à continuer sa recherche de Resurrection Mary. J'ai attrapé mes clés sur la table et me suis dirigé vers la porte, tout en ayant l'impression d'avoir oublié quelque chose. Quelque chose d'important. J'ai demandé aux autres de m'attendre une seconde et je suis retourné à la table pour voir si j'y avais laissé une chose m'appartenant. J'ai soulevé les assiettes sales, les serviettes et les fourchettes, mais il n'y avait rien. Par contre, j'ai aperçu une pièce d'un cent qui brillait sur le plancher, à mes pieds. Pour une raison que je ne peux m'expliquer, je sentais qu'il fallait absolument que je la ramasse et que je la mette dans ma poche. Avec le temps, j'ai fini par écouter mon instinct dans ce genre de situation. Je jouais avec le sou dans ma poche quand j'ai rejoint mes coéquipiers à mi-chemin de la sortie.

Tandis que nous approchions du comptoir de l'hôtesse, un charmant vieux monsieur nous a salués et nous a demandé si notre repas au Rico D's nous avait plu. Becca et Amber lui ont répondu que, même si l'attente avait été un peu longue, la pizza était exceptionnelle et valait la peine de patienter. Me souvenant que la serveuse du Chet's Melody Lounge nous avait dit que le Rico D's était réputé hanté, je me suis avancé et j'ai demandé à l'homme s'il en était le propriétaire et s'il savait quelque chose des fantômes censés hanter l'endroit. Avec un sourire et une étincelle dans l'œil, le gentil monsieur a dit s'appeler Don. En effet, il était propriétaire du resto. Plus important encore, a-t-il ajouté comme si de rien n'était, le Rico D's était hanté et il se ferait un plaisir de nous en parler.

Très vite, nous avons vu que non seulement Don était heureux de nous parler des fantômes, mais cela l'excitait. Il nous a relaté l'histoire de l'immeuble, une histoire de crime organisé, de meurtres et de contrebande – tout cela, soi-disant contrôlé et supervisé par Al Capone. Il nous a dit qu'il y avait, sous la bâtisse, des tunnels dont les historiens croient qu'ils servaient à cacher l'alcool durant la prohibition. On y avait peut-être aussi commis des assassinats. Il nous a dit qu'il croyait qu'un des fantômes qui hantaient l'immeuble n'était nul autre que celui de la tante de Capone, une immigrante italienne prénommée Isabel, arrivée aux États-Unis dans les années 1930.

Don nous a raconté que plusieurs de ses clientes avaient rapporté avoir fait d'étranges expériences dans les toilettes des femmes, des expériences semblables à celle qu'Amber nous avait racontée.

Une dame lui aurait dit avoir entendu une femme invisible lui dire de « remettre la photo d'Isabel sur le mur ». Don a dit que, quelques jours avant cet incident, il avait enlevé les photographies encadrées afin de pouvoir repeindre les murs. Au moment où la femme avait rapporté avoir entendu la voix, les photographies étaient entreposées dans une pièce à l'étage, afin d'éviter de les endommager. Les photographies étaient très vieilles, a dit Don, et il les avait trouvées dans le sous-sol après avoir acheté l'immeuble. Il nous a ensuite confirmé qu'une des photographies était celle d'une Italienne, et il croyait qu'il s'agissait d'Isabel, la tante d'Al Capone.

Don nous a ensuite parlé de deux autres fantômes qui hantaient l'endroit : le premier, qui le suivait partout, tout le temps, était l'esprit d'un jeune garçon prénommé Adam ; le second, qui hantait le sous-sol, portait le surnom de Junior. Quand j'ai demandé à Don comment il pouvait savoir que le fantôme du petit garçon s'appelait Adam, il a répliqué qu'il avait déjà fait appel à une petite équipe de médiums pour enquêter sur l'immeuble, et qu'ils lui avaient parlé du garçon et lui avaient dit son nom.

Don a poursuivi en nous parlant d'autres incidents mineurs qui s'étaient produits dans la cuisine et dans le sous-sol. Finalement, il s'est penché derrière le comptoir de l'hôtesse et en a sorti un petit flacon de liquide en nous disant que c'était de l'eau bénite, cadeau d'un prêtre du quartier. « Quand les fantômes commencent à être hors de contrôle, a dit Don, j'asperge l'intérieur de l'immeuble avec un peu d'eau bénite et tout rentre dans l'ordre. »

En entendant cela, nous avons tous les quatre froncé les sourcils et pris un air sceptique – pas parce que nous pensions que Don nous mentait, mais simplement parce qu'il était clair qu'il dramatisait un tantinet. Il était aussi évident que Don voulait que sa propriété soit hantée, probablement parce que c'était bon pour les affaires et que cela lui faisait un truc intéressant à raconter à ses clients. Nous l'avons remercié d'avoir pris le temps de nous parler et avons quitté les lieux.

REPRISE DE LA CHASSE À MARY

En arrivant dehors, le reste de l'équipe a remarqué l'aura que j'avais vue plus tôt et qui entourait le quartier. Nous avons marché jusqu'à un coin gazonné devant le Rico D's, directement en face du Willowbrook Ballroom de l'autre côté de la rue, et nous nous sommes assis là pour discuter du meilleur moyen de faire sortir Mary de sa cachette.

J'ai suggéré que, si nous voulions retracer ses pas depuis Willowbrook jusqu'au cimetière Resurrection, nous devrions créer une sorte de sentier métaphysique qu'elle pourrait suivre. C'est à ce moment-là que j'ai eu une idée : la pièce d'un cent. Le métal est un merveilleux conducteur d'énergie, à la fois naturel et surnaturel, et en plus du sou qui était dans ma poche, j'en avais tout un rouleau dans la fourgonnette. J'ai suggéré que nous chargions magiquement le rouleau de cents d'énergie et d'intention (l'intention étant d'entrer en communication avec Mary), puis que nous tracions un sentier avec les sous en guise de « miettes de pain métaphysiques », afin que Mary puisse le suivre. L'équipe ayant jugé que l'idée en valait une autre, je suis allé récupérer le rouleau de cents dans la fourgonnette.

Tenant le rouleau de monnaie dans ma main, ainsi que le sou que j'avais sorti de ma poche, j'ai demandé à l'équipe de mettre leurs mains autour de la mienne, de fermer les yeux et de se concentrer sur l'intention. Presque immédiatement, j'ai senti que l'énergie commençait à s'accumuler. Je me suis mis à bouger nos mains en cercle devant nous, en répétant le nom de Mary à plusieurs reprises, d'abord dans ma tête, puis à haute voix. L'énergie devenait de plus en plus forte, de plus en plus élevée, tandis que nous chargions les sous de notre magie et de notre intention.

Une fois terminé notre travail de magie, j'ai mis le rouleau de cents dans ma poche et j'ai traversé la rue en me dirigeant tout droit sur le Willowbrook. Tenant le sou que j'avais ramassé dans ma main, j'ai regardé le Willowbrook et remonté le temps en pensée. J'ai imaginé à quoi ressemblait le Willowbrook au début du XXe siècle. J'ai imaginé une Mary triste et seule, sortant de la porte avant par une nuit d'hiver froide et enneigée… et courant à la rencontre de son terrible destin. J'ai ouvert les yeux, murmuré son nom et lancé la pièce de l'autre côté de la rue. Le sou a rebondi dans le stationnement et s'est arrêté sur le trottoir, près de la porte avant du Willowbrook Ballroom. Notre travail ici était terminé. Une fois remontés dans la fourgonnette, nous avons roulé lentement de l'entrée du Ballroom jusqu'aux grilles du cimetière Resurrection.

En dépassant le Willowbrook, j'ai vu un homme d'âge moyen vêtu d'un smoking, en train de fumer une cigarette sur le trottoir devant la salle de danse. Le plus intéressant, c'est qu'il se tenait presque exactement à l'endroit où le sou était retombé et qu'il avait l'air complètement décontenancé. De plus, son langage corporel suggérait qu'il sentait que quelque chose d'inhabituel se passait autour de lui, mais qu'il n'était pas du tout certain de ce que cela pouvait être.

Soudain, il a baissé les yeux vers le trottoir, s'est penché et a tendu la main vers un objet à ses pieds. Ce devait être le sou ! J'allais arrêter la voiture et lui crier de le laisser là lorsque, soudain, il a retiré sa main comme s'il venait de toucher à un fil électrique et qu'il avait reçu un choc. Il s'est redressé, a jeté sa cigarette par terre et est retourné dans la salle. Eh bien, ai-je pensé, si les morts n'avaient pas capté l'énergie que nous avions insufflée dans le sou, les vivants la captaient.

Pendant que nous remontions lentement l'avenue Archer en direction du cimetière Resurrection, Becca semait des pièces d'un cent chargées en les jetant par la fenêtre à intervalles réguliers ; Sam et moi regardions attentivement de chaque côté de la rue, dans l'espoir d'y détecter le moindre signe de Mary ; et Amber s'essayait à l'écriture automatique, la forme de communication spirituelle qui consiste à tenir un crayon ou un stylo librement, dans une main non dominante, et à dessiner sans y réfléchir de grands cercles formant des boucles sur une feuille de papier. En faisant cela, il est possible qu'un fantôme ou une autre entité entre en communication avec la personne et l'incite, par la voie de l'inconscient, à écrire des mots, des symboles ou des images.

Nous sommes arrivés aux grilles du cimetière sans que rien d'inhabituel ne se soit produit. J'ai garé la fourgonnette dans un petit espace de stationnement de l'autre côté de la rue et j'ai coupé le moteur. Le cimetière Resurrection était fermé pour la journée, et nous savions que nous ne pourrions y entrer sans enfreindre les règlements et risquer d'être arrêtés. Nous avons décidé de tenter le coup en prenant le petit chemin qui menait aux grilles du cimetière pour voir si nous pourrions y invoquer l'esprit de Mary. Nous savions que même cela représentait un risque, sans pour autant être illégal. Si nous voulions communiquer avec Mary, c'était probablement le meilleur moyen d'y arriver.

Debout derrière les grilles, nous avons formé notre petit cercle en nous tenant tous par la main ; nous avons fermé les yeux, fait le vide dans nos têtes, puis nous nous sommes focalisés sur notre objectif : entrer en communication avec Resurrection Mary. Nous avons assemblé notre pouvoir, notre volonté, notre intention et notre magie. Nous avons focalisé notre énergie et nos esprits. Puis nous nous sommes ouverts complètement à la communication. Nous avons appelé Mary.

Rien. Rien du tout. Pas même un frisson. Alors, nous avons pris quelques photographies, avons éteint notre enregistreur numérique et sommes remontés dans la fourgonnette. Satisfaits d'avoir terminé notre première enquête et déçus de n'avoir recueilli aucune preuve, nous sommes rentrés sans dire un mot.

LES PREUVES

L'équipe WISP n'a fait aucune expérience personnelle ayant directement trait à Resurrection Mary.

CONCLUSION

L'avenue Archer et le cimetière Resurrection sont entourés d'une aura miroitante qui couvre tout le quartier de son pouvoir et de sa lumière. Partout où nous sommes allés durant cette enquête, on nous a raconté des histoires d'apparitions, de va-et-vient étranges et de choses qui émettent des bruits dans la nuit, du fantôme d'une auto-stoppeuse dans une robe de soirée blanche, qui rejoue sa dernière soirée sur Terre encore et encore, en essayant de redresser la situation. Le cimetière Resurrection et l'avenue Archer sont-ils hantés? Absolument. Mais peut-être davantage par les histoires, les légendes et ceux qui sont partis à sa recherche, que par Mary elle-même.

CONCLUSION

LA FILIÈRE DE LA SORCELLERIE, DEUXIÈME PARTIE

Puisque nous arrivons à la fin de notre étrange aventure, il est temps de revoir un des objectifs que j'avais établis au début de ce livre. Cet objectif était et est toujours d'étudier le lien entre la sorcellerie et le paranormal, et de découvrir si le lien métaphysique des sorciers nous donne un avantage sur les enquêteurs du paranormal qui se contentent d'incorporer des méthodes scientifiques pour rassembler et analyser des preuves d'activité paranormale. Après sept années consécutives passées à analyser ce lien sans relâche, l'équipe WISP a collectivement déterminé que la réponse à cette question est *oui* : le lien métaphysique des sorciers nous donne un avantage distinct sur les simples enquêteurs du paranormal.

La capacité des sorciers à créer et à manipuler les champs d'énergie, combinée à d'importants talents psychiques, permet une connexion beaucoup plus forte aux fantômes et à l'activité paranormale que ce à quoi peut accéder la science seule. Aussitôt que le savoir-faire et les outils métaphysiques d'un sorcier sont combinés à des méthodes scientifiques strictes et à des dispositifs de haute technologie, le sorcier devient un enquêteur hybride capable de beaucoup plus que ce qu'un sorcier ou un scientifique peut accomplir seul.

WISP a par ailleurs déterminé que les enquêteurs du paranormal de n'importe quel niveau de compétence peuvent bénéficier d'une compréhension de base de la métaphysique et des méthodes utilisées pour l'exercer. Il nous apparaît clairement que le mariage de la science et de la métaphysique a permis à WISP de rétrécir l'espace entre le monde des vivants et le monde des morts, et nous a conféré une compréhension plus profonde du paranormal que nous n'aurions pu l'espérer si ce mariage n'avait jamais eu lieu. Autrement dit, les sorciers peuvent bénéficier de la connaissance et de l'implantation des techniques scientifiques autant que les enquêteurs scientifiques peuvent bénéficier de l'étude et de l'incorporation du savoir-faire métaphysique de base dans leurs enquêtes.

Pourtant, même si WISP a remporté un vif succès avec ses études du paranormal, je sens qu'il est important de souligner que lorsque les quatre membres se réunissent, il se crée quelque chose d'unique. Comme je l'ai mentionné plus tôt dans ce livre, je crois qu'en tant qu'équipe, WISP est un aimant naturel pour l'activité paranormale et, comme nos talents se sont affinés, notre capacité à attirer, détecter et communiquer avec les entités d'un autre monde a augmenté d'autant. Je crois que la combinaison des membres de WISP est un mélange rare et parfait de modèles d'énergie favorisant l'activité paranormale.

Si j'ai piqué votre attention et suscité votre intérêt, et que vous avez envie d'en apprendre davantage sur les compétences métaphysiques de base, voire de les incorporer à vos propres enquêtes paranormales, vous avez de la chance. J'ai déjà défriché le terrain pour vous et j'inclus ici une liste de livres qui me semblent constituer de bons points de départ pour s'initier aux rudiments de la métaphysique. Et comme les livres que je vous recommande comportent peu d'aspects du paganisme moderne, inutile de vous inquiéter si vous n'êtes pas attiré par cet aspect des choses. Cette liste de recommandations de lectures, qui suit l'épilogue, couvre une grande gamme de sujets, mais se concentre sur les éléments de base.

ÉPILOGUE

CETTE DERNIÈRE DISTANCE

J'ai passé les sept dernières années de ma vie à arpenter cimetières, maisons et parties de routes, à la recherche de fantômes et de preuves de la vie après la mort. Cela m'a permis de réaliser que, de bien des manières, mon voyage a été spirituel. Après avoir passé des décennies à étudier la métaphysique et à perfectionner mes talents occultes, j'ai l'impression que les enquêtes sur le paranormal étaient une étape logique sur le chemin de ma spiritualité. Recueillir les preuves d'une apparition n'a jamais compté autant pour moi que d'interagir avec les gens qui se sentaient hantés ; prouver que les fantômes existent n'a jamais été aussi important pour moi que de passer du temps avec les fantômes.

Depuis ma tendre enfance, je sais que les fantômes sont réels et non le fruit d'une imagination débordante. Je n'ai pas besoin de la photographie d'un spectre ou d'une voix désincarnée captée sur un enregistreur numérique pour me prouver que les fantômes existent. Malgré tout, je suis fasciné par ce genre de preuves. Je n'ai pas besoin de la science pour m'apporter la preuve de la vie après la mort, mais je suis fasciné par les implications de telles preuves. Je ne peux m'empêcher de me demander comment les preuves de la vie après la mort peuvent changer notre manière de vivre au quotidien. Je ne peux m'empêcher de me demander si une telle preuve peut embellir ou gâcher notre existence sur Terre.

Je n'entretiens pas d'illusions quant à ma propre mortalité. Je sais que je mourrai un jour et que la vie telle que je la connais cessera d'exister. Je crois qu'il subsiste quelque chose au-delà de ce monde, et que je continuerai à vivre sous une forme ou une autre. Mais ce qui se passe réellement après la mort, personne ne le sait vraiment. Il reste qu'un jour, je devrai faire ce dernier voyage. C'est un voyage que chacun de nous devra entreprendre un jour ou l'autre. Et quand ce jour viendra, nous saurons tous ce qui nous attend au bout de cette route ultime : une dernière distance que nous devrons nécessairement parcourir seuls.

LECTURES RECOMMANDÉES

BRUNVAND, Jan Harold. *The Vanishing Hitchhiker : American Urban Legends and Their Meanings,* New York, W. W. Norton & Company, 2003. Publié pour la première fois en 1981.

DAVIS, Audrey Craft. *Metaphysical Techniques That Really Work,* édition révisée, Nevada City, CA, Blue Dolphin Publishing, 2004.

DOYLE, David Paul et Candace DOYLE. *The Journey That Never Was : A Guide to Hearing God's Voice Regardless of One's Faith, Religion, or Personal Beliefs,* Ashland, OR, Foundation for Right-Mindedness, 2006.

FORTUNE, Dion. *Psychic Self-Defense,* York Beach, ME, Samuel Weiser, 2001.

LOUX, Michael J. *Metaphysics : A Contemporary Introduction,* 3ᵉ édition, New York, Routledge, 2006.

LOUX, Michael J. et Dean W. ZIMMERMAN, éd. *The Oxford Handbook of Metaphysics,* Oxford, Oxford University Press, 2003.

MONROE, Robert A. *Far Journeys,* Garden City, NY, Doubleday, 1985.

—. *Journeys Out of the Body,* New York, Broadway Books, 2001. Publié pour la première fois par Doubleday en 1971.

O'NEILL, J. F. *Foundations of Magic : Techniques & Spells That Work,* St. Paul, MN, Llewellyn Publications, 2005.

PENCZAK, Christopher. *The Mystic Foundation : Understanding and Exploring the Magical Universe,* Woodbury, MN, Llewellyn Publications, 2006.

—. *The Witch's Shield : Protection Magick & Psychic Self-Defense*, St. Paul, MN, Llewellyn Publications, 2004.

TODESCHI, Kevin J. *Edgar Cayce On the Akashic Records,* Virginia Beach, VA, A.R.E. Press, 1998.

ANNEXE

La sorcellerie est une pratique ancienne qui entretient des liens étroits avec ses adaptations des temps modernes, communément appelées Wicca et néopaganisme. La sorcellerie moderne est un système d'affirmation de la vie, axé sur la nature et basé sur la reconstruction des traditions préchrétiennes, dont plusieurs venaient d'Irlande, d'Écosse et du pays de Galles. De nombreux praticiens de la sorcellerie moderne honorent les aspects masculin et féminin de la divinité et font appel à un panthéon de dieux et de déesses. Les sorciers manipulent l'énergie à l'aide d'incantations, dans l'espoir de perpétuer un résultat précis, comme la guérison ou la protection. Les incantations d'un sorcier sont similaires aux prières qu'utilisent le christianisme et d'autres religions, dans lesquelles les mots et les gestes ont pour objectif d'induire un changement à un niveau personnel, voire universel.

À PROPOS DE L'AUTEUR

Pour son sixième anniversaire, Marcus F. Griffin reçut en cadeau un cercueil fabriqué par son père à sa demande, sur lequel chaque soir, il empilait livres et peluches, pour être sûr de se réveiller si quelque chose essayait de s'en échapper pendant son sommeil. Le reste, comme on dit, fait partie de l'histoire.

Ayant été témoin d'événements surnaturels inexplicables durant son enfance, Marcus a eu envie d'étudier les mystères d'une multitude de mondes ; c'est ainsi qu'il devint étudiant, puis enseignant de métaphysique, de spiritualité et de paranormal, pendant plus de 29 ans.

Il est l'auteur de *Advancing the Witches' Craft : Aligning Your Magical Spirit Through Meditation, Exploration and Initiation of the Self* ; de *Slaughter*, un roman d'horreur ; et d'un ouvrage spirituel non fictif, *Tribe : Tending the Fires of the Great Spirit Within*.

Membre actif de l'Horror Writers Association, Marcus contribue aussi assidûment aux albums annuels de Llewellyn et a une chronique mensuelle dans Ghostvillage.com. Il vit avec sa femme dans le nord de l'Indiana, dans une maison hantée située sur leur réserve, connue sous le nom de Nevermore Gardens.

Vous pouvez consulter son site web, www.marcusfgriffin.com. Vous pouvez également joindre Marcus par courrier électronique (en anglais seulement), à l'adresse marcusfgriffin@comcast.net, ou le suivre sur Twitter, où il tweete sous @MarcusFGriffin.

éditions

www.ada-inc.com
info@ada-inc.com

www.facebook.com/EditionsAdA

www.twitter.com/EditionsAdA